Table of Contents

IMPORTANT SAFEGUARDS

When using electrical appliances, basic safety precautions should always be followed including the following:

1. Read all instructions.
2. To protect against risk of electrical shock, do not put mixer in water or other liquid.
3. Close supervision is necessary when this or any appliance is used near children.
4. Unplug mixer from outlet when not in use, before putting on or taking off parts and before cleaning.
5. Avoid contacting moving parts. Keep hands, hair, clothing, as well as spatulas and other utensils away from beater during operation to reduce the risk of injury to persons and/or damage to the mixer.
6. Do not operate mixer unattended or near edge of work surface. When used for heavy loads or at high speeds, mixer may move on work surface.
7. Do not operate mixer with a damaged cord or plug or after the mixer malfunctions, or is dropped or damaged in any manner. Call the KitchenAid Consumer Interaction Centre at 1-800-461-5681 for more information.
8. The use of attachments not recommended or sold by KitchenAid may cause fire, electrical shock or injury.
9. Do not use the mixer outdoors.
10. Do not let the cord hang over edge of table or counter.
11. Remove flat beater, wire whip or dough hook from mixer before washing.
12. This product is designed for household use only. (Except Model 4KSMC50S which is designed for commercial use.)

SAVE THESE INSTRUCTIONS

Your safety and the safety of others are very important.

We have provided many important safety messages in this manual and on your appliance. Always read and obey all safety messages.

This is the safety alert symbol.

This symbol alerts you to potential hazards that can kill or hurt you and others.

All safety messages will follow the safety alert symbol and either the word "DANGER" or "WARNING." These words mean:

DANGER — **You can be killed or seriously injured if you don't immediately follow instructions.**

WARNING — **You can be killed or seriously injured if you don't follow instructions.**

All safety messages will tell you what the potential hazard is, tell you how to reduce the chance of injury, and tell you what can happen if the instructions are not followed.

Electrical Requirements

Volts: 120 A.C. only. Hertz: 60

The wattage rating for your mixer is printed on the trim band or on the serial plate.

Model 4KSMC50S Only:

Watts	350
Volts	120
Amps	3.0
Horsepower	2/5
Hertz	60

WARNING

Electrical Shock Hazard

Plug into a grounded 3 prong outlet.

Do not remove ground prong.

Do not use an adapter.

Do not use an extension cord.

Failure to follow these instructions can result in death, fire or electrical shock.

Bowl-Lift Models* Stand Mixer Features

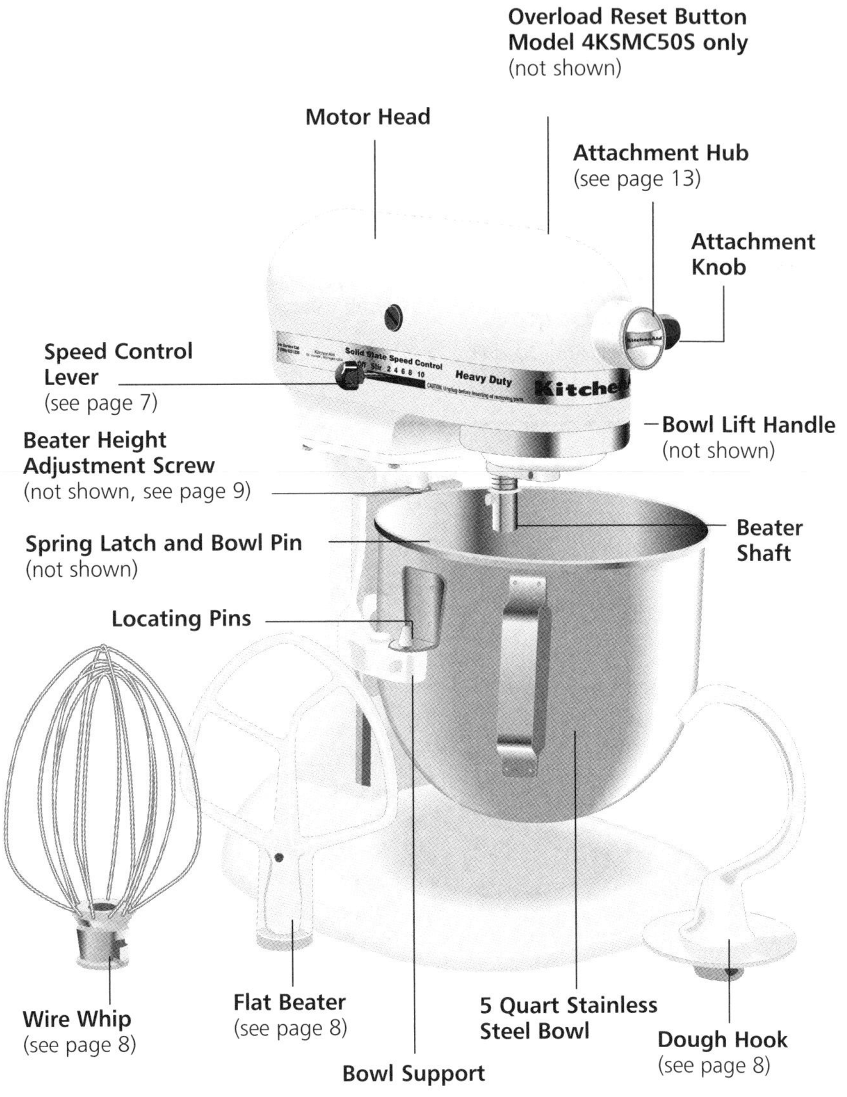

Overload Reset Button
Model 4KSMC50S only
(not shown)

Motor Head

Attachment Hub
(see page 13)

Attachment Knob

Speed Control Lever
(see page 7)

Beater Height Adjustment Screw
(not shown, see page 9)

Bowl Lift Handle
(not shown)

Spring Latch and Bowl Pin
(not shown)

Beater Shaft

Locating Pins

Wire Whip
(see page 8)

Flat Beater
(see page 8)

5 Quart Stainless Steel Bowl

Dough Hook
(see page 8)

Bowl Support

***Bowl-Lift models include 4K5SS, 4KSM5, 4KSM50P, 4KSMC50S**
Commercial model not shown.

Assembling Your Bowl-Lift Mixer

To Attach Bowl

1. Be sure speed control is OFF and mixer is unplugged.
2. Place bowl lift handle in down position.
3. Fit bowl supports over locating pins.
4. Press down on back of bowl until bowl pin snaps into spring latch.
5. Raise bowl before mixing.
6. Plug mixer in proper electrical outlet.**

To Remove Bowl

1. Be sure speed control is OFF and mixer is unplugged.
2. Place bowl lift handle in down position.
3. Remove flat beater, wire whip, or dough hook.
4. Grasp bowl handle and lift straight up and off locating pins.

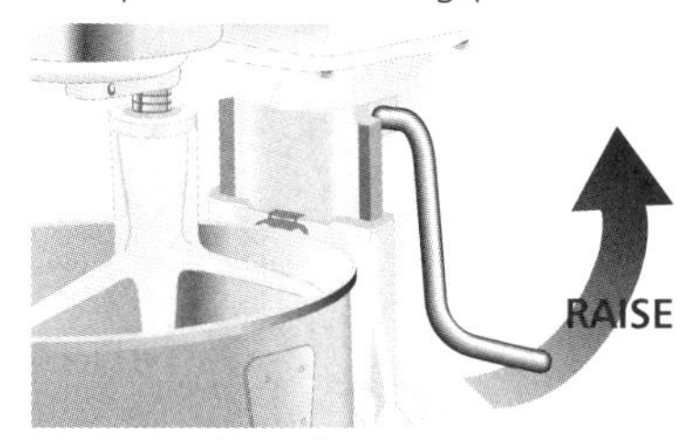

To Raise Bowl

1. Rotate handle to straight-up position.
2. Bowl must always be in raised, locked position when mixing.

To Lower Bowl

1. Rotate handle back and down.

⚠WARNING

Injury Hazard

Unplug mixer before inserting or removing beaters.

Unplug mixer before cleaning.

Failure to do so can result in broken bones or cuts.

To Attach Flat Beater, Wire Whip, or Dough Hook

1. Turn speed control to OFF and unplug.
2. Slip flat beater on beater shaft and press upward as far as possible.
3. Turn beater to right, hooking beater over the pin on shaft.
4. Plug mixer in proper electrical outlet.**

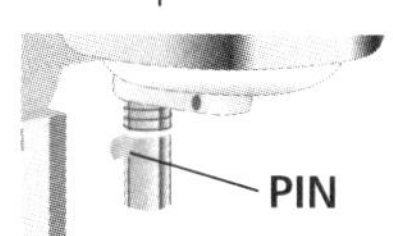

To Remove Flat Beater, Wire Whip, or Dough Hook

1. Turn speed control to OFF and unplug.
2. Press beater upward as far as possible and turn left.
3. Pull beater from beater shaft.
4. Plug mixer in proper electrical outlet.**

Household mixer SPEED Control

Plug mixer in proper electrical outlet.** Speed control lever should always to be set on lowest speed for starting, then gradually moved to desired higher speed to avoid splashing ingredients out of bowl. See pages 10, 14 for Speed Control Guide.

Overload Reset Button

Model 4KSMC50 only

If the mixer is overloaded, the Overload Reset Button will pop out and the mixer will shut off. Turn the Speed Control Lever to OFF. Wait a few minutes, then push in the Reset Button. Turn the Speed Control Lever to the desired speed and continue mixing.

** See page 3.

Tilt-Head Models* Stand Mixer Features

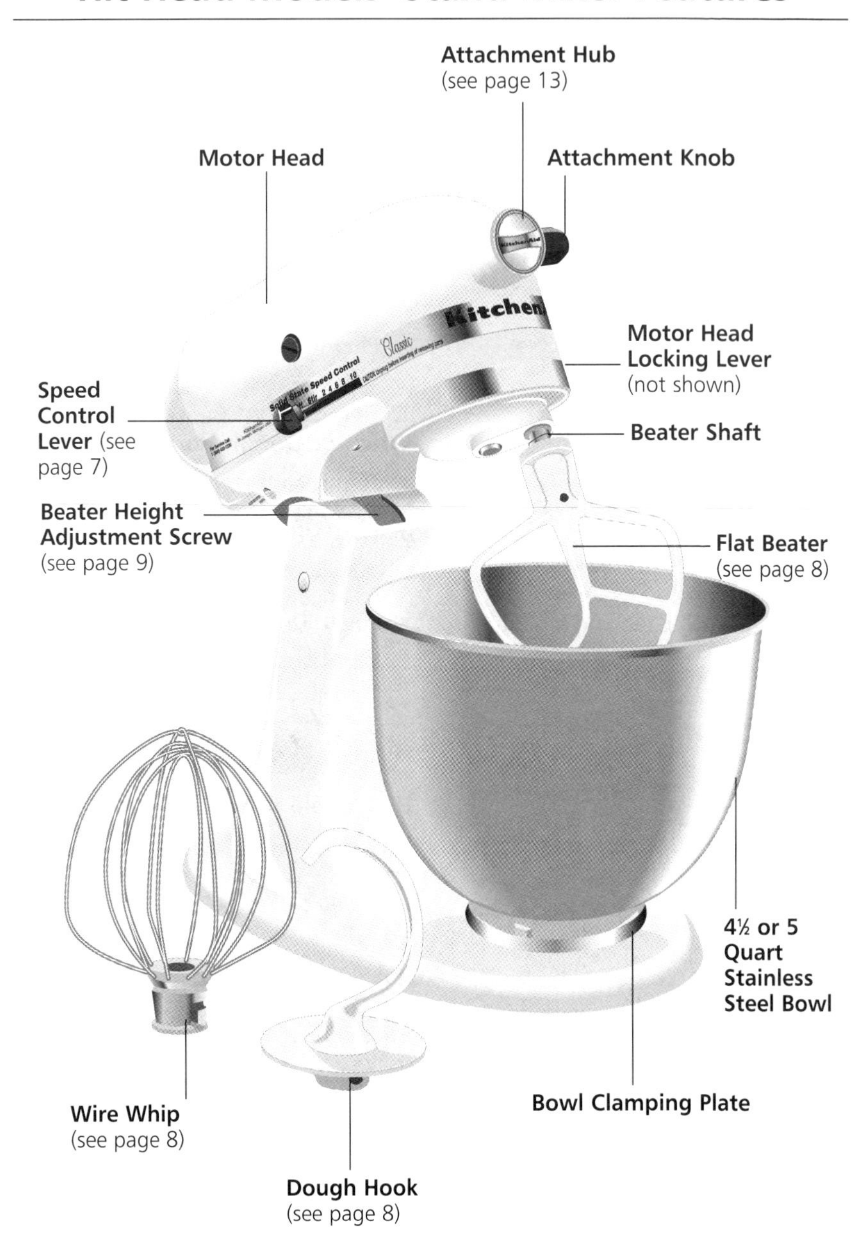

*4½ Quart models include 4K45, 4KSM90, 4KSM110PS
*5 Quart model 4KSM150

Assembling Your Tilt-Head Mixer

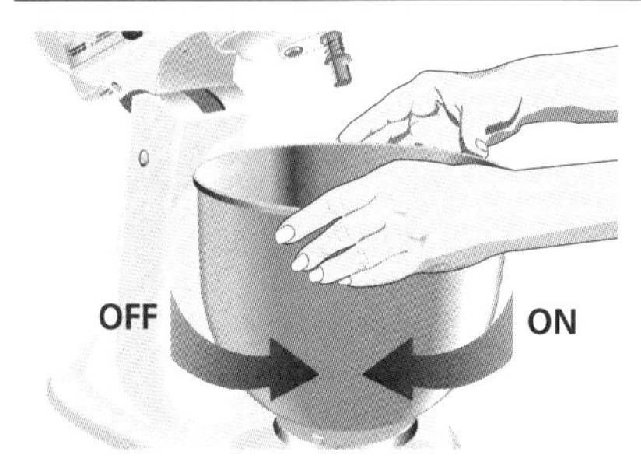

To Attach Bowl

1. Be sure speed control is OFF and mixer is unplugged.
2. Tilt motor head back.
3. Place bowl on bowl clamping plate.
4. Turn bowl gently in clockwise direction.
5. Plug mixer in proper electrical outlet.**

To Remove Bowl

1. Be sure speed control is OFF and mixer is unplugged.
2. Tilt motor head back.
3. Turn bowl in counterclockwise direction.

⚠WARNING

Injury Hazard

Unplug mixer before inserting or removing beaters.

Unplug mixer before cleaning.

Failure to do so can result in broken bones or cuts.

To Attach Flat Beater, Wire Whip, Or Dough Hook

1. Turn speed control to OFF and unplug.
2. Raise motor head.
3. Slip beater onto beater shaft and press upward as far as possible.
4. Turn beater to right, hooking beater over pin on shaft.
5. Plug mixer in proper electrical outlet.**

To Remove Flat Beater, Wire Whip or Dough Hook

1. Turn speed control to OFF and unplug.
2. Press beater upward as far as possible and turn left.
3. Pull beater from beater shaft.
4. Plug mixer in proper electrical outlet.**

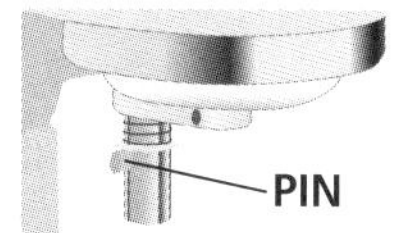

To Lock Motor Head

1. Make sure motor head is completely down.
2. Place locking lever in LOCK position.
3. Before mixing, test lock by attempting to raise head.

To Unlock Motor Head

1. Place lever in UNLOCK position.

NOTE: Motor head should always be kept in LOCK position when using mixer.

To Operate Speed Control

Plug mixer in proper electrical outlet.** Speed control lever should always be set on lowest speed for starting, then gradually moved to desired higher speed to avoid splashing ingredients out of bowl. See page 10 for Speed Control Guide.

** See page 3.

Using Your KitchenAid® Attachments

Flat Beater for normal to heavy mixtures:

- cakes
- creamed frostings
- candies
- cookies
- pie pastry
- biscuits
- quick breads
- meat loaf
- mashed potatoes

Wire Whip for mixtures that need air incorporated:

- eggs
- egg whites
- heavy cream
- boiled frostings
- sponge cakes
- angel food cakes
- mayonnaise
- some candies

Dough Hook for mixing and kneading yeast doughs:

- breads
- rolls
- coffee cakes
- buns

Mixing Time

Your KitchenAid® Mixer will mix faster and more thoroughly than most other electric mixers. Therefore, the mixing time in most recipes must be adjusted to avoid overbeating. With cakes, for example, beating time may be half as long as with other mixers.

Mixer Use

NOTE: Do not scrape bowl while mixer is operating.

The bowl and beater are designed to provide thorough mixing without frequent scraping. Scraping the bowl once or twice during mixing is usually sufficient. Turn unit off before scraping.

The mixer may warm up during use. Under heavy loads with extended mixing time, you may not be able to comfortably touch the top of the unit. This is normal.

Care and Cleaning

⚠WARNING

Injury Hazard
Unplug mixer before inserting or removing beaters.
Unplug mixer before cleaning.
Failure to do so can result in broken bones or cuts.

Bowl, white flat beater and white dough hook may be washed in an automatic dishwasher. Or, clean them thoroughly in hot sudsy water and rinse completely before drying.

Wire whip, burnished dough hook and burnished flat beater should be hand washed and dried immediately. Do not wash wire whip, burnished dough hook and burnished flat beater in a dishwasher. Do not store beaters on shaft.

NOTE: Always be sure to unplug mixer before cleaning. Wipe mixer with a soft, damp cloth. Do not use household/commercial cleaners. Do not immerse in water. Wipe off beater shaft frequently, removing any residue that may accumulate.

Beater To Bowl Clearance

Your mixer is adjusted at the factory so that the flat beater just clears the bottom of the bowl. If for any reason, the flat beater hits the bottom of the bowl or is too far away from the bowl, clearance can be corrected as follows:

Tilt-Head models

- Unplug mixer.
- Lift motor head.
- Turn screw (A) SLIGHTLY counter clockwise (left) to raise flat beater or clockwise (right) to lower flat beater.
- Make adjustment with flat beater, so it just clears surface of bowl.

If you over adjust the screw, the bowl lock lever may not lock into place.

Bowl-Lift models

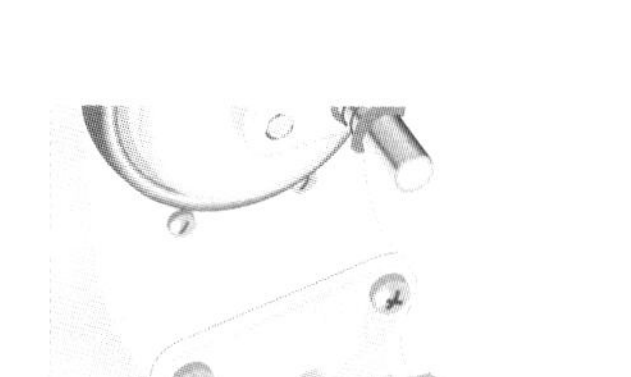

- Unplug mixer.
- Place bowl lift handle in down position.
- Turn screw (B) SLIGHTLY counter clockwise (left) to raise flat beater and clockwise (right) to lower flat beater.
- Make adjustments with flat beater, so it just clears surface of bowl.

NOTE: When properly adjusted, the flat beater will not strike on bottom or side of bowl. If beater or wire whip is adjusted too close so that it strikes bottom of bowl, coating may wear off beater or wires may wear through on wire whip.

Speed Control Guide – 10 Speed Mixers

Number of Speed		
Stir Speed	**STIR**	For slow stirring, combining, mashing, starting all mixing procedures. Use to add flour and dry ingredients to batter, add liquids to dry ingredients, and combine heavy mixtures.
2	**SLOW MIXING**	For slow mixing, mashing, faster stirring. Use to mix heavy batters and candies, start mashing potatoes or other vegetables, cut shortening into flour, mix thin or splashy batters, and mix and knead yeast dough. Use with Can Opener attachment.
4	**MIXING, BEATING**	For mixing semi-heavy batters, such as cookies. Use to combine sugar and shortening and to add sugar to egg whites for meringues. Medium speed for cake mixes. Use with: Food Grinder, Rotor Slicer/Shredder, and Fruit/Vegetable Strainer.
6	**BEATING, CREAMING**	For medium fast beating (creaming) or whipping. Use to finish mixing cake, doughnut, and other batters. High speed for cake mixes. Use with Citrus Juicer attachment.
8	**FAST BEATING, WHIPPING**	For whipping cream, egg whites, and boiled frostings.
10	**FAST WHIPPING**	For whipping small amounts of cream or egg whites. Use with Pasta Maker and Grain Mill attachments. **NOTE:** Will not maintain fast speeds under heavy loads, such as when using Pasta Maker or Grain Mill attachments.

NOTE: The Speed Control Lever can be set between the speeds listed in the above chart to obtain speeds 3, 5, 7 and 9 if a finer adjustment is required. Do not exceed Speed 2 when preparing yeast doughs as this may cause damage to the mixer.

Mixing Tips

Converting Your Recipe for the Mixer

The mixing instructions for recipes in this book can guide you in converting your own favourite recipes for preparation with your KitchenAid® mixer. Look for recipes similar to yours and then adapt your recipes to use the procedures in the similar KitchenAid recipes.

For example, the "quick mix" method (sometimes referred to as the "dump" method) is ideal for simple cakes, such as the Quick Yellow Cake and Easy White Cake included in this book. This method calls for combining dry ingredients with most or all liquid ingredients in one step.

More elaborate cakes, such as Caramel Walnut Banana Torte, should be prepared using the traditional cake mixing method. With this method, sugar and the shortening, butter or margarine are thoroughly mixed (creamed) before other ingredients are added.

For all cakes, mixing times may change because your KitchenAid® mixer works more quickly than other mixers. In general, mixing a cake with the KitchenAid® mixer will take about half the time called for in most cake recipes.

To help determine the ideal mixing time, observe the batter or dough and mix only until it has the desired appearance described in your recipe, such as "smooth and creamy."

To select the best mixing speeds, use the Speed Control Guide on pages 10 and 14.

Adding Ingredients

Always add ingredients as close to side of bowl as possible, not directly into moving beater. The Pouring Shield can be used to simplify adding ingredients.

NOTE: If ingredients in very bottom of bowl are not thoroughly mixed, then the beater is not far enough into the bowl. See "Beater to Bowl Clearance," page 9.

Cake Mixes

When preparing packaged cake mixes, use Speed 2 for low speed, Speed 4 for medium speed, and Speed 6 for high speed. For best results, mix for the time stated on the package directions.

Adding Nuts, Raisins or Candied Fruits

Follow individual recipes for guidelines on including these ingredients. In general, solid materials should be folded in the last few seconds of mixing on Stir Speed. The batter should be thick enough to prevent the fruit or nuts from sinking to the bottom of the pan during baking. Sticky fruits should be dusted with flour for better distribution in the batter.

Liquid Mixtures

Mixtures containing large amounts of liquid ingredients should be mixed at lower speeds to avoid splashing. Increase speed only after mixture has thickened.

Egg Whites

Place room temperature egg whites in clean, dry bowl. Attach bowl and wire whip. To avoid splashing, gradually turn to designated speed and whip to desired stage. See chart below.

AMOUNT	SPEED
1 egg white	GRADUALLY to 10
2-4 egg whites	GRADUALLY to 8
6 or more egg whites	GRADUALLY to 8

Whipping Stages

With your KitchenAid® mixer, egg whites whip quickly. So, watch carefully to avoid overwhipping. This list tells you what to expect.

Frothy
Large, uneven air bubbles.

Begins to Hold Shape
Air bubbles are fine and compact; product is white.

Soft Peak
Tips of peaks fall over when wire whip is removed.

Almost Stiff
Sharp peaks form when wire whip is removed, but whites are actually soft.

Stiff but not Dry
Sharp, stiff peaks form when wire whip is removed. Whites are uniform in colour and glisten.

Stiff and Dry
Sharp, stiff peaks form when wire whip is removed. Whites are speckled and dull in appearance.

Whipped Cream

Pour cold whipping cream into chilled bowl. Attach bowl and wire whip. To avoid splashing, gradually turn to designated speed and whip to desired stage. See chart below.

AMOUNT	SPEED
¼ cup (50 mL)	GRADUALLY to 10
½ cup (125 mL)	GRADUALLY to 10
1 cup (250 mL)	GRADUALLY to 8
1 pint (500 mL)	GRADUALLY to 8

Whipping Stages

Watch cream closely during whipping. Because your KitchenAid® mixer whips so quickly, there are just a few seconds between whipping stages. Look for these characteristics:

Begins to Thicken
Cream is thick and custard-like.

Holds Its Shape
Cream forms soft peaks when wire whip is removed. Can be folded into other ingredients when making desserts and sauces.

Stiff
Cream stands in stiff, sharp peaks when wire whip is removed. Use for topping on cakes or desserts, or filling for cream puffs.

Attachments and Accessories

(Attachments not NSF Approved for 4KSMC50S)

General Information

KitchenAid® attachments are designed to assure long life. The attachment power shaft and hub socket are of a square design, to eliminate any possibility of slipping during the transmission of power to the attachment. The hub and shaft housing are tapered to assure a snug fit, even after prolonged use and wear. KitchenAid® attachments require no extra power unit to operate them; the power unit is built in.

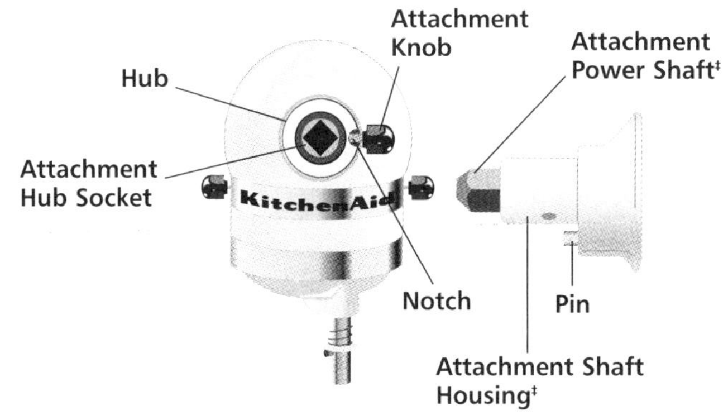

‡Not part of mixer.

General Instructions

To Attach

1. Turn mixer off and unplug.
2. Loosen attachment knob by turning it counterclockwise.
3. Remove attachment hub cover.
4. Insert attachment shaft housing into attachment hub, making certain that attachment power shaft fits into square attachment hub socket. It may be necessary to rotate attachment back and forth. When attachment is in proper position, the pin on the attachment will fit into the notch on the hub rim.
5. Tighten attachment knob by turning clockwise until attachment is completely secured to mixer.
6. Plug mixer in proper electrical outlet.**

To Remove

1. Turn mixer off and unplug.
2. Loosen attachment knob by turning it counterclockwise. Rotate attachment slightly back and forth while pulling out.
3. Replace attachment hub cover. Tighten attachment knob by turning it clockwise.

** See page 3.

Speed Control Guide – Commercial Mixers*

Number of Speed		
Stir Speed	STIR	For slow stirring, combining, mashing, starting all mixing procedures.
1	SLOW MIXING	For slow beating, mashing and kneading yeast doughs.
2	MIXING, BEATING	For mixing cookie and cake batters.
3	BEATING, CREAMING	For beating, creaming and medium fast whipping.
4	FAST BEATING, WHIPPING	For whipping heavy cream, egg whites, and boiled frostings.
5	FAST WHIPPING	For whipping small amounts of heavy cream or egg whites.

Do not exceed Speed 1 when preparing yeast doughs as this may cause damage to the mixer.

*Commercial model 4KSMC50S

KitchenAid® Mixer Warranty

Length of Warranty:	KitchenAid Canada Will Pay For:	KitchenAid Canada Will Not Pay For:
One Year Full Warranty from date of purchase.	Replacement parts and repair labour costs to correct defects in materials and workmanship. Service must be provided by a designated KitchenAid Service Centre.	A. Repairs when mixer is used in other than normal single-family household use. B. Damage resulting from accident, alteration, misuse or abuse, fire, floods, acts of God, or use of products not approved by KitchenAid Canada. C. Any incidental shipping or handling costs to deliver your mixer to a designated KitchenAid Service Centre. D. Replacement parts or repair labour costs for mixer operated outside Canada.

KITCHENAID CANADA DOES NOT ASSUME ANY RESPONSIBILITY FOR INCIDENTAL OR CONSEQUENTIAL DAMAGES. Some provinces do not allow the exclusion or limitation of incidental or consequential damages, so this exclusion may not apply to you. This warranty gives you specific legal rights and you may also have other rights which vary from province to province.

How To Arrange For Warranty Service – Canada

First review the Troubleshooting section, to possibly avoid the need for service.

One Year Full warranty from date of purchase KitchenAid Canada will pay for replacement parts and repair labour costs to correct defects in materials and workmanship. Service must be provided by a designated KitchenAid Service Centre.

Take the mixer or ship prepaid and insured to a designated KitchenAid Service Centre. Your repaired mixer will be returned prepaid and insured.

If you are unable to obtain satisfactory service in this manner, contact KitchenAid Canada, 1901 Minnesota Court, Mississauga, Ontario L5N 3A7. Telephone 1-800-807-6777.

How To Arrange For Out-Of-Warranty Service

- First review the Troubleshooting section below.
- Then, consult your telephone directory for a designated KitchenAid Service Centre near you. If one is not listed contact KitchenAid Service from anywhere in Canada at 1-800-807-6777.
- Take the mixer or ship prepaid and insured to a designated KitchenAid Service Centre. Your repaired mixer will be returned prepaid and insured.
- All out-of-warranty service should be handled by a designated KitchenAid Service Centre.

Troubleshooting

⚠WARNING

Electrical Shock Hazard

Unplug before servicing.

Failure to do so can result in death or electrical shock.

First try the solutions suggested here and possibly avoid the cost of service. **If your mixer should malfunction or fail to operate, check the following:**

- Is the mixer plugged in?
- Is the fuse in the circuit to the mixer in working order? If you have a circuit breaker box, be sure the circuit is closed.
- Try unplugging and waiting 15-20 minutes before re-plugging the mixer.
- If the problem is not due to one of the above items, see "How to Arrange For Service" sections.
- DO NOT return the mixer to the retailer as they do not provide service.
- For assistance throughout Canada call KitchenAid Consumer Interaction Centre toll-free 8:30 a.m. - 5:30 p.m. (EST): 1-800-461-5681. or write to:
  Consumer Relations Centre
  KitchenAid Canada
  1901 Minnesota Court
  Mississauga, ON L5N 3A7

Crabmeat Dip

- 1 *package (8 oz. [250 g]) light cream cheese*
- 1 *cup (250 mL) reduced-fat cottage cheese*
- ¼ *cup (50 mL) reduced-calorie mayonnaise*
- 1 *can (6½ oz. [195 g]) crabmeat, flaked*
- 1 *tablespoon (15 mL) lemon juice*
- 3 *tablespoons (45 mL) chopped green onions*
- ½ *teaspoon (2 mL) garlic salt*
- 3 *drops hot pepper sauce*

Place cream cheese, cottage cheese, and mayonnaise in mixer bowl. Attach bowl and flat beater to mixer. Turn to Speed 6 and beat about 1 minute, or until well blended. Stop and scrape bowl. Add all remaining ingredients. Turn to Speed 6 and beat about 1 minute, or until all ingredients are combined.

Refrigerate until well chilled. Serve with assorted crackers or raw vegetables.

Yield: 24 servings (2 tablespoons [30 mL] per serving).

Per serving: About 42 cal, 4 g pro, 1 g carb, 3 g fat, 12 mg chol, 180 mg sod.

Creamy Pineapple Fruit Dip

- 4 *ounces (120 g) light cream cheese*
- ½ *cup (125 mL) marshmallow cream*
- 1 *can (8 oz. [250 g]) crushed pineapple, well drained*
- 2 *teaspoons (10 mL) grated orange peel*

Place cream cheese in mixer bowl. Attach bowl and flat beater to mixer. Turn to Speed 2 and mix about 30 seconds. Stop and scrape bowl. Add marshmallow cream, pineapple, and orange peel. Turn to Speed 4 and beat about 30 seconds. Stop and scrape bowl. Turn to Speed 4 and beat about 30 seconds. Refrigerate at least 2 hours. Serve with sliced fresh fruit, if desired.

Yield: 12 servings (2 tablespoons [30 mL] per serving).

Per serving: About 61 cal, 1 g pro, 11 g carb, 2 g fat, 3 mg chol, 58 mg sod.

Layered Mexican Dip

- *1 package (8 oz. [250 g]) light cream cheese*
- *½ cup (125 mL) shredded hot pepper Monterey Jack cheese*
- *¼ cup (50 mL) bean or black bean dip*
- *½ cup (125 mL) thick and chunky salsa*
- *½ cup (125 mL) chopped green onions*
- *¼ cup (50 mL) sliced pitted ripe olives*

Place cream cheese in mixer bowl. Attach bowl and flat beater to mixer. Turn to Speed 2 and mix about 30 seconds. Stop and scrape bowl. Add Monterey Jack cheese. Turn to Speed 2 and mix about 30 seconds.

Spread cheese mixture on 10-inch (25-cm) serving plate to within 1 or 2 inches (2.5 or 5 cm) of edge. Spread bean dip over cheese. Spread salsa over bean dip. Top with onions and olives. Refrigerate until ready to serve. Serve with tortilla chips, if desired.

Yield: 12 servings (¼ cup [50 mL] per serving).

Per serving: About 70 cal, 4 g pro, 3 g carb, 5 g fat, 12 mg chol, 265 mg sod.

Nutty Cheese Ball

- *1 cup (250 mL) shredded sharp Cheddar cheese*
- *1 cup (250 mL) shredded Swiss cheese*
- *1 package (8 oz. [250 g]) light cream cheese*
- *2 tablespoons (30 mL) chopped fresh chives*
- *2 teaspoons (10 mL) Worcestershire sauce*
- *¼ teaspoon (1 mL) paprika*
- *½ teaspoon (2 mL) garlic powder*
- *¼ cup (50 mL) finely chopped pecans*

Place all ingredients, except pecans, in mixer bowl. Attach bowl and flat beater to mixer. Turn to Speed 4 and beat about 1 minute, or until well blended.

On waxed paper, shape mixture into a ball. Roll ball in chopped pecans. Wrap in waxed paper. Refrigerate until serving time. Serve with assorted crackers or raw vegetables.

Yield: 24 servings (2 tablespoons [30 mL] per serving).

Per serving: About 65 cal, 4 g pro, 1 g carb, 5 g fat, 13 mg chol, 109 mg sod.

Spinach and Cheese Crostini

1 *baguette loaf, cut into ½-inch (1.25-cm) slices*
2 *teaspoons (10 mL) butter or margarine*
½ *cup (125 mL) finely chopped onion*
1 *clove garlic, minced*
1 *package (9 oz. [270 g]) frozen chopped spinach, thawed and squeezed dry*
1 *package (8 oz. [250 g]) light cream cheese*
¼ *cup (50 mL) roasted red peppers*
½ *cup (125 mL) shredded Cheddar cheese*

Place baguette slices on baking sheet. Bake at 375°F (190°C) for 4 to 6 minutes, or until toasted. Set aside.

Melt butter in 10-inch (25-cm) skillet over medium heat. Add onion and garlic. Cook and stir 2 to 3 minutes, or until softened. Add spinach. Cook and stir 30 to 60 seconds, or until warm. Cool slightly.

Place cream cheese in mixer bowl. Attach bowl and flat beater to mixer. Turn to Speed 2, mix about 30 seconds. Add spinach mixture. Continuing on Speed 2, mix about 30 seconds. Add red peppers. Continuing on Speed 2, mix about 30 seconds. Spread spinach mixture on toasted baguette slices. Top each slice with about 1 teaspoon (5 mL) Cheddar cheese. Bake at 375°F (190°C) for 5 to 8 minutes, or until thoroughly heated and cheese is melted. Serve warm.

Yield: 12 servings (2 crostini per serving).

Per serving: About 141 cal, 6 g pro, 16 g carb, 6 g fat, 12 mg chol, 324 mg sod.

Meatballs with Salsa

¼ *cup (50 mL) fat-free egg substitute or 1 egg*
⅓ *cup (75 mL) fresh bread crumbs*
½ *teaspoon (2 mL) chili powder*
¼ *teaspoon (1 mL) garlic powder*
⅛ *teaspoon (.5 mL) cayenne pepper*
1 *pound (500 g) ground turkey*
½ *cup (125 mL) thick and chunky salsa*
½ *cup (125 mL) chili sauce*
½ *cup (125 mL) water*

Place egg substitute, bread crumbs, chili powder, garlic powder, pepper, and ground turkey in mixer bowl. Attach bowl and flat beater to mixer. Turn to Stir Speed and mix about 30 seconds.

Form turkey mixture into 1-inch (2.5-cm) balls. Spray 12-inch (30-cm) skillet with no-stick cooking spray. Cook meatballs over medium–high heat until well browned; drain.

Mix salsa, chili sauce, and water in small bowl. Add to meatballs and stir. Reduce heat to low. Cook, covered, about 10 minutes, or until meatballs are thoroughly cooked, stirring frequently. Serve warm.

Yield: 12 servings (3 meatballs per serving).

Per serving: About 84 cal, 8 g pro, 5 g carb, 3 g fat, 30 mg chol, 280 mg sod.

Mushroom-Onion Tartlets

Pastry Crusts

- 4 *oz. (120 g) light cream cheese*
- 3 *tablespoons (45 mL) butter or margarine, divided*
- ¾ *cup plus 1 teaspoon (180 mL) all-purpose flour*
- 8 *oz. (250 mL) fresh mushrooms, coarsely chopped*
- ½ *cup (125 mL) chopped green onions*

Filling

- 1 *egg*
- ¼ *teaspoon (1 mL) dried thyme leaves*
- ½ *cup (125 mL) shredded Swiss cheese*

To make **Pastry Crusts**, place cream cheese and 2 tablespoons (30 mL) butter in mixer bowl. Attach bowl and flat beater to mixer. Turn to Speed 4 and beat about 1 minute. Stop and scrape bowl. Add ¾ cup (175 mL) flour. Turn to Speed 2 and mix about 1 minute, or until well blended. Form mixture into a ball. Wrap in waxed paper and chill 1 hour. Clean mixer bowl and beater.

To make **Filling**, melt remaining 1 tablespoon (15 mL) butter in 10-inch (25-cm) skillet over medium heat. Add mushrooms and onions. Cook and stir until tender. Remove from heat. Cool slightly.

Divide chilled dough into 24 pieces. Press each piece into miniature muffin cup (greased, if desired).

For **Filling**, place egg, remaining 1 teaspoon (5 mL) flour, and thyme in mixer bowl. Attach bowl and flat beater to mixer. Turn to Speed 6 and beat about 30 seconds. Stir in cheese and cooled mushroom mixture. Spoon into pastry-lined muffin cups. Bake at 375°F (190°C) for 15 to 20 minutes, or until egg mixture is puffed and golden brown. Serve warm.

Yield: 12 servings (2 tartlets per serving).

Per serving: About 98 cal, 4 g pro, 8 g carb, 6 g fat, 33 mg chol, 83 mg sod.

Stuffed New Potatoes

- 8 *small new red potatoes, boiled in skins*
- ¼ *cup (50 mL) reduced-fat sour cream*
- 1 *tablespoon (15 mL) margarine or butter, melted*
- ¼ *teaspoon (1 mL) garlic salt*
- ¼ *teaspoon (1 mL) dried thyme leaves*
- ¼ *cup (50 mL) finely chopped green onions*
- ¼ *cup (50 mL) finely shredded Cheddar cheese*
- *Paprika, if desired*

Cut potatoes in half. Scoop out insides of potatoes, leaving ⅛-inch (3-mm) shells. Place insides of potatoes in mixer bowl. Attach bowl and flat beater to mixer. Turn to Speed 2 and mix about 1 minute. Add sour cream, margarine, garlic salt, and thyme. Turn to Speed 2 and mix about 30 seconds. Stop and scrape bowl. Turn to Speed 2 and mix about 30 seconds. Turn to Stir Speed and add onions, mixing just until blended.

Spoon or pipe potato mixture into potato shells. Place filled shells in shallow baking dish. Bake at 375°F (190°C) for 20 to 25 minutes, or until thoroughly heated. Sprinkle with cheese and paprika, if desired. Bake 5 minutes longer, or until cheese is melted. Serve warm.

Yield: 8 servings (2 potato halves per serving).

Per serving: About 58 cal, 2 g pro, 6 g carb, 3 g fat, 5 mg chol, 108 mg sod.

Sweet Potato Puff

- 2 *medium sweet potatoes, cooked and peeled*
- ½ *cup (125 mL) low-fat milk*
- ⅓ *cup (75 mL) sugar*
- 2 *eggs*
- 2 *tablespoons (30 mL) butter or margarine*
- ½ *teaspoon (2 mL) nutmeg*
- ½ *teaspoon (2 mL) cinnamon*

Crunchy Praline Topping

- 2 *tablespoons (30 mL) butter or margarine, melted*
- ¾ *cup (175 mL) corn flakes*
- ¼ *cup (50 mL) chopped walnuts or pecans*
- ¼ *cup (50 mL) firmly packed brown sugar*

Place potatoes in mixer bowl. Attach bowl and flat beater to mixer. Turn to Speed 2 and mix about 30 seconds. Add milk, sugar, eggs, 2 tablespoons (30 mL) butter, nutmeg, and cinnamon. Turn to Speed 4 and beat about 1 minute. Spread mixture in greased 9-inch (23-cm) pie plate. Bake at 400°F (200°C) for 20 minutes, or until set. Clean bowl and beater.

Place all **Topping** ingredients in mixer bowl. Attach bowl and flat beater to mixer. Turn to Stir Speed and mix about 15 seconds. Spread on hot puff. Bake 10 minutes longer.

Yield: 6 servings (½ cup [125 mL] per serving).

Per serving: About 268 cal, 6 g pro, 35 g carb, 12 g fat, 2 mg chol, 176 mg sod.

Mashed Potatoes

- 5 *large potatoes (about 2½ lbs. [1250 g]), peeled, quartered, and boiled*
- ½ *cup (125 mL) low-fat milk, heated*
- 2 *tablespoons (30 mL) butter or margarine*
- 1 *teaspoon (5 mL) salt*
- ⅛ *teaspoon (.5 mL) black pepper*

Warm mixer bowl and flat beater with hot water; dry. Place hot potatoes in bowl. Attach bowl and flat beater to mixer. Gradually turn to Speed 2 and mix about 1 minute, or until smooth.

Add all remaining ingredients. Turn to Speed 4 and beat about 30 seconds, or until milk is absorbed. Gradually turn to Speed 6 and beat about 1 minute, or until fluffy. Stop and scrape bowl. Exchange flat beater for wire whip. Turn to Speed 10 and whip 2 to 3 minutes.

Yield: 9 servings (¾ cup [175 mL] per serving).

Per serving: About 111 cal, 2 g pro, 19 g carb, 3 g fat, 8 mg chol, 296 mg sod.

VARIATIONS

Garlic Mashed Potatoes

Substitute 1 teaspoon (5 mL) garlic salt for salt.

Per serving: About 111 cal, 2 g pro, 19 g carb, 3 g fat, 8 mg chol, 239 mg sod.

Parmesan Mashed Potatoes

Increase milk to ¾ cup (175 ml). Add ⅓ cup (75 mL) grated Parmesan cheese with milk.

Per serving: About 205 cal, 6 g pro, 32 g carb, 6 g fat, 7 mg chol, 524 mg sod.

Sour Cream-Chive Mashed Potatoes

Substitute ¼ cup (50 mL) reduced-fat sour cream for ¼ cup (50 mL) milk. Add 2 tablespoons (30 mL) chopped fresh chives.

Per serving: About 178 cal, 4 g pro, 32 g carb, 4 g fat, 2 mg chol, 417 mg sod.

Herbed Whipped Squash

- 1 *large butternut squash, baked (about 3 cups [750 mL] cooked)*
- ¼ *cup (50 mL) butter or margarine, melted*
- ½ *teaspoon (2 mL) dried tarragon leaves*
- ⅛ *teaspoon (.5 mL) salt*
- ⅛ *teaspoon (.5 mL) black pepper*

Scoop cooked squash out of shell and place in mixer bowl. Attach bowl and wire whip to mixer. Turn to Speed 4 and beat about 30 seconds. Add all remaining ingredients. Turn to Speed 2 and mix about 30 seconds. Turn to Speed 4 and beat about 2 minutes.

Yield: 6 servings (½ cup [125 mL] per serving).

Per serving: About 107 cal, 1 g pro, 11 g carb, 7 g fat, 0 mg chol, 137 mg sod.

Black Bean Frittata

- 2 *cups (500 mL) fat-free egg substitute or 8 eggs*
- ¼ *cup (50 mL) low-fat milk*
- 1 *tablespoon (15 mL) oil*
- ½ *medium red bell pepper, chopped*
- 4 *green onions, sliced*
- 1 *can (16 oz.) (500 g) black beans, rinsed and drained*
- 1 *cup (250 mL) shredded Monterey Jack cheese*

Place egg substitute and milk in mixer bowl. Attach bowl and wire whip to mixer. Turn to Speed 2 and mix about 30 seconds. Set aside.

Heat oil in large skillet over medium heat until oil sizzles. Add bell pepper and onions. Cook about 1 minute, or until slightly tender. Stir in beans. Cook about 1 minute, or until thoroughly heated.

Reduce heat to medium-low. Pour egg mixture over vegetables. Cook about 6 minutes, or until almost set. As bottom of egg mixture sets, carefully lift edges with spatula and let uncooked egg run to the bottom of the pan. Cook, covered, about 2 minutes, or until top is set but still shiny. Sprinkle with cheese. Cook, covered, about 1 minute, or until cheese melts.

Yield: 6 servings.

Per serving: About 208 cal, 18 g pro, 15 g carb, 8 g fat, 18 mg chol, 463 mg sod.

Tip: For browned top on frittata, place under broiler about 1 minute, or until cheese is browned and bubbly.

Garden Quiche

- *Baked Pastry Shell (see page 41)*
- 1 *tablespoon (15 mL) oil*
- 1 *small onion, chopped*
- 1 *medium green bell pepper, chopped*
- 8 *oz. (250 g) sliced fresh mushrooms*
- 6 *eggs*
- ⅓ *cup (75 mL) low-fat milk*
- 1 *tablespoon (15 mL) chopped fresh parsley*
- 1 *teaspoon (15 mL) salt*
- 5 *drops hot pepper sauce*
- 1 *cup (4 oz. [120 g]) reduced-fat shredded Swiss cheese*

Follow procedure for Baked Pastry Shell. Cool 10 minutes.

Meanwhile, heat oil in large non-stick skillet over medium-high heat. Add onion and bell pepper. Cook about 1 minute, stirring frequently. Add mushrooms. Cook and stir about 2 minutes, or until vegetables are tender. Set aside.

Place eggs, milk, parsley, salt, and hot pepper sauce in mixer bowl. Attach bowl and wire whip to mixer. Turn to Speed 2 and mix 1 to 2 minutes.

Sprinkle half of cheese in pastry shell. Top with vegetables. Pour egg mixture over vegetables. Top with remaining cheese. Bake at 350°F (180°C) for 30 to 35 minutes, or until knife inserted in center comes out clean. Let stand about 5 minutes before serving.

Yield: 8 servings.

Per serving (filling and crust): About 264 cal, 12 g pro, 17 g carb, 16 g fat, 172 mg chol, 561 mg sod.

Cheese-Stuffed Shells

- ½ *cup (125 mL) fat-free egg substitute or 2 eggs*
- 1 *container (15 oz.) (450 g) no-fat ricotta cheese*
- 2 *cups (500 mL) shredded part-skim mozzarella cheese*
- ¼ *cup (50 mL) grated Parmesan cheese*
- 2 *teaspoons (10 mL) dried parsley leaves*
- 2 *teaspoons (10 mL) no-salt herb and garlic seasoning*
- 24 *jumbo pasta shells, cooked and drained*
- 2 *cups (500 mL) prepared Marinara Sauce*

Place egg substitute, ricotta cheese, mozzarella cheese, Parmesan cheese, parsley, and seasoning in mixer bowl. Attach bowl and flat beater to mixer. Turn to Speed 2 and mix about 30 seconds, or until combined.

Fill each shell with 2 to 3 tablespoons (30-45 mL) cheese mixture. Place filled shells in 13x9x2-inch (33x23x5-cm) baking pan. Pour Marinara Sauce over shells. Cover pan with foil. Bake at 350°F (180°C) for 30 to 35 minutes, or until bubbly.

Yield: 4 to 6 servings.

Per serving: About 527 cal, 46 g pro, 56 g carb, 15 g fat, 57 mg chol, 865 mg sod.

Quick Yellow Cake

- *2¼ cups (550 mL) all-purpose flour*
- *1⅓ cups (325 mL) sugar*
- *3 teaspoons (15 mL) baking powder*
- *½ teaspoon (2 mL) salt*
- *½ cup (125 mL) shortening*
- *1 cup (250 mL) low-fat milk*
- *1 teaspoon (5 mL) vanilla*
- *2 eggs*

Combine dry ingredients in mixer bowl. Add shortening, milk, and vanilla. Attach bowl and flat beater to mixer. Turn to Speed 2 and mix about 1 minute. Stop and scrape bowl. Add eggs. Continuing on Speed 2, mix about 30 seconds. Stop and scrape bowl. Turn to Speed 6 and beat about 1 minute.

Pour batter into two greased and floured 8- or 9-inch (20- or 23-cm) round baking pans. Bake at 350°F (180°C) for 30 to 35 minutes, or until toothpick inserted in center comes out clean. Cool 10 minutes. Remove from pans. Cool completely on wire rack. Frost if desired.

Yield: 12 to 16 servings.

Per serving: About 272 cal, 4 g pro, 42 g carb, 10 g fat, 37 mg chol, 175 mg sod.

Easy White Cake

- *2 cups (500 mL) all-purpose flour*
- *1½ cups (375 mL) sugar*
- *3 teaspoons (15 mL) baking powder*
- *½ teaspoon (2 mL) salt*
- *½ cup (125 mL) shortening*
- *1 cup (250 mL) low-fat milk*
- *1 teaspoon (5 mL) vanilla*
- *4 egg whites*

Combine dry ingredients in mixer bowl. Add shortening, milk, and vanilla. Attach bowl and flat beater to mixer. Turn to Speed 2 and mix about 1 minute. Stop and scrape bowl. Add egg whites. Turn to Speed 6 and beat about 1 minute, or until smooth and fluffy.

Pour batter into two greased and floured 8- or 9-inch (20- or 23-cm) round baking pans. Bake at 350°F (180°C) for 30 to 35 minutes, or until toothpick inserted in center comes out clean. Cool 10 minutes. Remove from pans. Cool completely on wire rack. Frost if desired.

Yield: 12 to 16 servings.

Per serving: About 267 cal, 4 g pro, 42 g carb, 9 g fat, 2 mg chol, 183 mg sod.

Caramel Walnut Banana Torte

Topping

- 1 *cup (250 mL) firmly packed brown sugar*
- ½ *cup (125 mL) butter or margarine*
- ¼ *cup (50 mL) whipping cream*
- 1 *cup (250 mL) chopped walnuts*

Cake

- 1½ *cups (375 mL) sugar*
- ½ *cup (125 mL) butter or margarine, softened*
- 1 *cup (250 mL) (2 medium) mashed ripe banana*
- 1 *teaspoon (5 mL) vanilla*
- 3 *eggs*
- 2½ *cups (625 mL) all-purpose flour*
- 1¼ *teaspoons (6 mL) baking powder*
- 1 *teaspoon (5 mL) baking soda*
- ½ *teaspoon (2 mL) salt*
- ¾ *cup (175 mL) buttermilk*

Filling

- ½ *cup (125 mL) sugar*
- 3 *tablespoons (45 mL) all-purpose flour*
- ¼ *teaspoon (1 mL) salt*
- 1 *cup (250 mL) low-fat milk*
- 1 *egg, beaten*
- 1 *teaspoon (5 mL) vanilla*
- 1 *tablespoon (15 mL) butter or margarine*
- 2 *medium bananas, thinly sliced*
- ½ *cup (125 mL) whipping cream, whipped*

To make **Topping**, place brown sugar, butter, and cream in small saucepan. Heat over low heat just until butter melts, stirring constantly. Pour over bottoms of three 8- or 9-inch (20- or 23-cm) round baking pans. Sprinkle with walnuts.

To make **Cake**, place sugar and butter in mixer bowl. Attach bowl and flat beater to mixer. Turn to Speed 2 and mix about 30 seconds. Stop and scrape bowl. Add banana and vanilla. Continuing on Speed 2, mix about 30 seconds. Continuing on Speed 2, add eggs, one at a time, mixing about 15 seconds after each addition. Stop and scrape bowl.

Combine flour, baking powder, baking soda, and salt in small bowl. Add half of flour mixture to sugar mixture in mixer bowl. Turn to Speed 2 and mix about 30 seconds. Add buttermilk and remaining flour mixture. Gradually turn to Speed 6 and beat about 30 seconds. Spread batter evenly over nut mixture in pans. Bake at 350°F (180°C) for 25 to 30 minutes, or until toothpick inserted in center comes out clean. Cool in pans about 3 minutes. Remove from pans and cool completely on wire racks.

Meanwhile, to make **Filling**, combine sugar, flour, and salt in medium saucepan. Gradually stir in milk. Heat to boiling over medium heat, stirring constantly. Stir about ¼ cup (50 mL) hot mixture into beaten egg in separate bowl. Pour egg mixture into saucepan. Cook until mixture is bubbly, stirring constantly. Remove from heat. Stir in vanilla and butter. Cool slightly. Refrigerate 1 hour while cake is cooling.

To assemble torte, place one cake layer, nut side up, on large plate. Spread with half of **Filling**. Arrange half of banana slices over **Filling**. Top with second layer, nut side up. Spread with remaining **Filling** and banana slices. Top with remaining cake layer, nut side up. Top torte with whipped cream. Store in refrigerator.

Yield: 16 to 20 servings.

Per serving: About 451 cal, 7 g pro, 65 g carb, 19 g fat, 58 mg chol, 384 mg sod.

Angel Food Cake

- *1¼ cups (300 mL) all-purpose flour*
- *1½ cups (375 mL) sugar, divided*
- *1½ cups (375 mL) egg whites (about 12 to 15 egg whites)*
- *1½ teaspoons (7 mL) cream of tartar*
- *¼ teaspoon (1 mL) salt*
- *1½ teaspoons (7 mL) vanilla or ½ teaspoon (2 mL) almond extract*

Mix flour and ½ cup (125 mL) sugar in small bowl. Set aside.

Place egg whites in mixer bowl. Attach bowl and wire whip to mixer. Gradually turn to Speed 6 and whip 30 to 60 seconds, or until egg whites are frothy.

Add cream of tartar, salt, and vanilla. Turn to Speed 8 and whip 2 to 2½ minutes, or until whites are almost stiff but not dry. Turn to Speed 2. Gradually add remaining 1 cup (250 mL) sugar and mix about 1 minute. Stop and scrape bowl.

Remove bowl from mixer. Spoon flour-sugar mixture, one-fourth at a time, over egg whites. Fold in gently with spatula, just until blended.

Pour batter into ungreased 10-inch (25-cm) tube pan. With knife, gently cut through batter to remove large air bubbles. Bake at 375°F (190°) for 35 minutes, or until crust is golden brown and cracks are very dry. Immediately invert cake onto funnel or soft drink bottle. Cool completely. Remove from pan.

Yield: 16 servings.

Per serving: About 124 cal, 4 g pro, 27 g carb, 0 g fat, 0 mg chol, 79 mg sod.

Old-Fashioned Pound Cake

- 3 *cups (750 mL) all-purpose flour*
- 2 *cups (500 mL) sugar*
- 3 *teaspoons (15 mL) baking powder*
- ½ *teaspoon (2 mL) salt*
- 2 *cups (500 mL) butter, softened*
- ½ *cup (125 mL) low-fat milk*
- 1 *teaspoon (5 mL) vanilla*
- 1 *teaspoon (5 mL) almond extract*
- 6 *eggs*

Combine dry ingredients in mixer bowl. Add butter, milk, vanilla, and almond extract. Attach bowl and flat beater to mixer. Turn to Stir Speed and mix about 1 minute. Stop and scrape bowl. Turn to Speed 6 and beat about 2 minutes. Stop and scrape bowl.

Turn to Speed 2 and add eggs, one at a time, mixing about 15 seconds after each addition. Turn to Speed 4 and beat about 30 seconds.

Pour batter into greased and floured 10-inch (25-cm) tube pan. Bake at 350°F (180°C) for 1 hour 15 minutes, or until toothpick inserted in center comes out clean. Cool completely on wire rack. Remove cake from pan.

Yield: 16 servings.

Per serving: About 419 cal, 5 g pro, 44 g carb, 25 g fat, 143 mg chol, 378 mg sod.

Double Chocolate Pound Cake

- 3 *cups (750 mL) all-purpose flour*
- 2 *cups (500 mL) sugar*
- ½ *cup (125 mL) unsweetened Dutch-processed cocoa powder*
- 3 *teaspoons (15 mL) baking powder*
- ½ *teaspoon (2 mL) salt*
- 1 *cup (250 mL) butter, softened*
- 1¼ *cups (300 mL) low-fat milk*
- 1 *teaspoon (5 mL) vanilla*
- 5 *eggs*

Chocolate Glaze

- 2 *squares (1 oz. [30 g] each) unsweetened chocolate*
- 3 *tablespoons (45 mL) margarine or butter*
- 1 *cup (250 mL) powdered sugar*
- ¾ *teaspoon (3 mL) vanilla*
- 2 *tablespoons (30 mL) hot water*

Combine dry ingredients in mixer bowl. Add butter, milk, and vanilla. Attach bowl and flat beater to mixer. Turn to Stir Speed and mix about 1 minute. Stop and scrape bowl. Turn to Speed 6 and beat about 2 minutes. Stop and scrape bowl.

Turn to Speed 2 and add eggs, one at a time, mixing about 15 seconds after each addition. Turn to Speed 4 and beat about 30 seconds.

Pour batter into greased and floured 10-inch (25-cm) tube pan. Bake at 325°F (160°C) for 1 hour 20 minutes, or until toothpick inserted in center comes out clean. Cool completely on wire rack. Remove cake from pan and drizzle with **Chocolate Glaze**.

To make **Glaze**, melt chocolate and margarine in small saucepan over low heat. Remove from heat. Stir in powdered sugar and vanilla. Stir in water, 1 teaspoon (5mL) at a time, until glaze is of desired consistency.

Yield: 16 servings.

Per serving: About 390 cal, 6 g pro, 55 g carb, 18 g fat, 99 mg chol, 289 mg sod.

Chocolate Cake

2 cups (500 mL) all-purpose flour
1⅓ cups (325 mL) sugar
1 teaspoon (5 mL) baking powder
½ teaspoon (2 mL) baking soda
½ teaspoon (2 mL) salt
½ cup (125 mL) shortening
1 cup (250 mL) low-fat milk
1 teaspoon (5 mL) vanilla
2 eggs
2 squares (1 oz. [30 g] each) unsweetened chocolate, melted

Combine dry ingredients in mixer bowl. Add shortening, milk, and vanilla. Attach bowl and flat beater to mixer. Turn to Speed 2 and mix about 1 minute. Stop and scrape bowl. Add eggs and chocolate. Continuing on Speed 2, mix about 30 seconds. Stop and scrape bowl. Turn to Speed 6 and beat about 1 minute.

Pour batter into two greased and floured 8- or 9-inch (20- or 23-cm) round baking pans. Bake at 350°F (180°C) for 30 to 35 minutes, or until toothpick inserted in center comes out clean. Cool 10 minutes. Remove from pans. Cool completely on wire rack. Frost if desired.

Yield: 12 to 16 servings.

Per serving: About 285 cal, 4 g pro, 41 g carb, 12 g fat, 37 mg chol, 185 mg sod.

Sunshine Chiffon Cake

- 2 *cups (500 mL) all-purpose flour*
- 1½ *cups (375 mL) sugar*
- 1 *tablespoon (15 mL) baking powder*
- ½ *teaspoon (2 mL) salt*
- ¾ *cup (175 mL) cold water*
- ½ *cup (125 mL) oil*
- 7 *egg yolks, beaten*
- 1 *teaspoon (5 mL) vanilla*
- 2 *teaspoons (10 mL) grated lemon rind*
- 7 *egg whites*
- ½ *teaspoon (2 mL) cream of tartar*

Combine flour, sugar, baking powder, and salt in mixer bowl. Add water, oil, egg yolks, vanilla, and lemon rind. Attach bowl and wire whip to mixer. Turn to Speed 4 and beat about 1 minute. Stop and scrape bowl. Continuing on Speed 4, beat about 15 seconds. Pour mixture into another bowl. Clean mixer bowl and wire whip.

Place egg whites and cream of tartar in mixer bowl. Attach bowl and wire whip to mixer. Turn to Speed 8 and whip 2 to 2½ minutes, or until whites are stiff but not dry.

Remove bowl from mixer. Gradually add flour mixture to egg whites. Fold in gently with spatula, just until blended.

Pour batter into ungreased 10-inch (25-cm) tube pan. Bake at 325°F (160°C) for 60 to 75 minutes, or until top springs back when lightly touched. Immediately invert cake onto funnel or soft drink bottle. Cool completely. Remove from pan. Drizzle with **Lemon Glaze**.

Lemon Glaze

- 1 *cup (250 mL) powdered sugar*
- 1 *tablespoon (15 mL) butter or margarine, softened*
- 2-3 *tablespoons (30-45 mL) lemon juice*

Combine powdered sugar and butter in small bowl. Stir in lemon juice, 1 tablespoon (15 mL) at a time, until glaze is of desired consistency.

Yield: 16 servings.

Per serving: About 256 cal, 4 g pro, 38 g carb, 10 g fat, 93 mg chol, 152 mg sod.

Chocolate Almond Brownie Cake

Cake

- *7 squares (1 oz. [30 g] each) semi-sweet chocolate*
- *½ cup (125 mL) butter or margarine*
- *3 eggs, separated*
- *½ cup (125 mL) sugar*
- *½ teaspoon (2 mL) almond extract*
- *2 tablespoons (30 mL) all-purpose flour*

Glaze

- *1 square (1 oz. [30 g]) semi-sweet chocolate*
- *1 teaspoon (5 mL) shortening*

Topping

- *½ cup (125 mL) whipping cream*
- *1 tablespoon (15 mL) powdered sugar*
- *¼ teaspoon (1 mL) almond extract*
- *2 tablespoons (30 mL) sliced almonds*

To make **Cake**, melt chocolate and butter in medium saucepan over low heat, stirring constantly. Remove from heat; cool slightly.

Place egg whites in mixer bowl. Attach bowl and wire whip to mixer. Turn to Speed 8 and whip 1 to 2 minutes, or until stiff peaks form. Place egg whites in another bowl. Clean mixer bowl and wire whip.

Place chocolate mixture, sugar, and almond extract in mixer bowl. Attach bowl and flat beater to mixer. Turn to Speed 4 and beat about 1 minute. Stop and scrape bowl. Continuing on Speed 4, add egg yolks, one at a time, beating about 30 seconds after each addition. Continuing on Speed 4, add flour and beat about 15 seconds. Gently fold in egg whites with spatula.

Spoon batter into 8-inch (20-cm) springform pan that has been greased and floured on the bottom only. Bake at 375°F (190°C) for 20 to 25 minutes, or until set in center. Cool completely on wire rack before glazing. Clean mixer bowl.

To make **Glaze**, melt chocolate and shortening in small saucepan over low heat, stirring to blend. Drizzle over cake.

To make **Topping**, place cream, powdered sugar, and almond extract in mixer bowl. Attach wire whip and bowl to mixer. Turn to Speed 10 and whip 30 to 60 seconds, or until stiff peaks form. Pipe or spoon whipped cream in ring over top of cake. Sprinkle with almonds. Store in refrigerator.

Yield: 16 servings.

Per serving: About 180 cal, 3 g pro, 17 g carb, 13 g fat, 58 mg chol, 74 mg sod.

Applesauce Cake

- 1½ cups (375 mL) all-purpose flour
- 1 cup (250 mL) whole wheat flour
- 1½ cups (375 mL) sugar
- 1 teaspoon (5 mL) baking powder
- 1 teaspoon (5 mL) baking soda
- ½ teaspoon (2 mL) salt
- 1½ teaspoons (7 mL) cinnamon
- ½ teaspoon (2 mL) nutmeg
- 1½ cups (375 mL) applesauce
- ½ cup (125 mL) butter or margarine, melted
- 2 eggs
- 1 cup (250 mL) chopped, peeled apple
- ½ cup (125 mL) chopped walnuts
- Caramel Creme Frosting, if desired (see page 34)

Combine dry ingredients in mixer bowl. Add applesauce, margarine, and eggs. Attach bowl and flat beater to mixer. Turn to Speed 2 and mix about 1 minute. Stop and scrape bowl. Turn to Speed 4 and beat about 30 seconds. Turn to Stir Speed and add apple and walnuts, mixing just until blended.

Pour batter into greased and floured 13x9x2-inch (33x23x5-cm) baking pan. Bake at 350°F (180°C) for 35 to 40 minutes, or until toothpick inserted in center comes out clean. Cool completely on wire rack. Frost with Caramel Creme Frosting, if desired.

Yield: 12 to 16 servings.

Per serving: About 318 cal, 5 g pro, 51 g carb, 11 g fat, 36 mg chol, 315 mg sod.

Spice Cake

- 2¼ cups (550 mL) all-purpose flour
- 1 cup (250 mL) firmly packed brown sugar
- ½ cup (125 mL) sugar
- 1 teaspoon (5 mL) baking soda
- ½ teaspoon (2 mL) salt
- 1 teaspoon (5 mL) cinnamon
- ½ teaspoon (2 mL) cloves
- ½ teaspoon (2 mL) nutmeg
- 1 cup (250 mL) buttermilk
- ½ cup (125 mL) shortening
- 1 teaspoon (5 mL) vanilla
- 3 eggs
- ½ cup (125 mL) raisins
- Orange Cream Cheese Frosting, if desired (see page 34)

Combine dry ingredients in mixer bowl. Add buttermilk, shortening, vanilla, and eggs. Attach bowl and flat beater to mixer. Turn to Speed 2 and mix about 1 minute. Stop and scrape bowl. Turn to Speed 4 and beat about 30 seconds. Turn to Stir Speed and add raisins, mixing just until blended.

Pour batter into greased and floured 13x9x2-inch (33x23x5-cm) baking pan. Bake at 350°F (180°C) for 35 to 40 minutes, or until toothpick inserted in center comes out clean. Cool completely on wire rack. Frost with Orange Cream Cheese Frosting, if desired.

Yield: 12 to 16 servings.

Per serving: About 310 cal, 5 g pro, 50 g carb, 10 g fat, 54 mg chol, 240 mg sod.

Chocolate Frosting

- 1 *cup (250 mL) butter, softened*
- 2 *tablespoons (30 mL) light corn syrup*
- 4 *cups (1 L) powdered sugar*
- 2 *squares (1 oz. [30 g] each) unsweetened chocolate, melted*

Place butter in mixer bowl. Attach bowl and flat beater to mixer. Turn to Speed 4 and beat about 1½ minutes, or until creamy. Stop and scrape bowl. Add corn syrup. Turn to Speed 2 and mix well. Stop and scrape bowl.

Turn to Stir Speed. Gradually add powdered sugar, mixing until blended. Turn to Speed 4 and beat about 1 minute. Stop and scrape bowl. Turn to Speed 2. Slowly add melted chocolate and mix about 1½ minutes. Stop and scrape bowl. Turn to Speed 4 and beat about 1 minute.

Yield: 12 to 16 servings (frosting for 2-layer or 13x9x2-inch [33x23x5-cm] cake).

Per serving: About 325 cal, 1 g pro, 44 g carb, 18 g fat, 41 mg chol, 160 mg sod.

Buttercream Frosting

- ⅓ *cup (75 mL) butter, softened*
- ¼ *cup (50 mL) cream or evaporated milk*
- 1 *teaspoon (5 mL) vanilla*
- ¼ *teaspoon (1 mL) salt*
- 4 *cups (1 L) powdered sugar, divided*
- *Low-fat milk, if necessary*

Place butter in mixer bowl. Attach bowl and flat beater to mixer. Turn to Speed 4 and beat about 1 minute, or until creamy. Stop and scrape bowl. Add cream, milk, vanilla, salt, and 1 cup (250 mL) powdered sugar. Turn to Stir Speed and mix about 30 seconds. Stop and scrape bowl. Turn to Speed 2 and mix about 1½ minutes, or until well blended. Stop and scrape bowl.

Turn to Stir Speed. Gradually add remaining 3 cups (750 mL) powdered sugar and mix until blended. Stop and scrape bowl, if necessary. Add milk, 1 teaspoon (5 mL) at a time, if necessary. Turn to Speed 4 and beat about 1 minute, or until smooth.

Yield: 12 to 16 servings (frosting for 2-layer or 13x9x2-inch [33x23x5-cm] cake).

Per serving: About 208 cal, 0 g pro, 40 g carb, 6 g fat, 16 mg chol, 99 mg sod.

Caramel Creme Frosting

- ½ *cup (125 mL) butter or margarine*
- 1 *cup (250 mL) firmly packed brown sugar*
- ¼ *cup (50 mL) low-fat milk*
- 1 *cup (250 mL) miniature marshmallows*
- 2 *cups (500 mL) powdered sugar*
- ½ *teaspoon (2 mL) vanilla*

Melt butter in medium saucepan. Add brown sugar and milk, stirring to blend. Heat to boiling. Cook about 1 minute, stirring constantly. Remove from heat. Add marshmallows. Stir until marshmallows melt and mixture is smooth.

Place powdered sugar in mixer bowl. Add brown sugar mixture and vanilla. Attach bowl and flat beater to mixer. Turn to Stir Speed and mix about 30 seconds. Turn to Speed 4 and beat about 1 minute, or until smooth and creamy. Spread on cake while warm.

Yield: 12 to 16 servings (frosting for 2-layer or 13x9x2-inch [33x23x5-cm] cake).

Per serving: About 228 cal, 0 g pro, 41 g carb, 7 g fat, 0 mg chol, 98 mg sod.

Fluffy KitchenAid Frosting

- 1½ *cups (375 mL) sugar*
- ½ *teaspoon (2 mL) cream of tartar*
- ½ *teaspoon (2 mL) salt*
- ½ *cup (125 mL) water*
- 1½ *tablespoons (20 mL) light corn syrup*
- 2 *egg whites*
- 1½ *teaspoons (7 mL) vanilla*

Place sugar, cream of tartar, salt, water, and corn syrup in saucepan. Cook and stir over medium heat until sugar is completely dissolved, forming a syrup.

Place egg whites in mixer bowl. Attach bowl and wire whip to mixer. Turn to Speed 10 and whip about 45 seconds, or until whites begin to hold shape. Continuing on Speed 10, slowly pour hot syrup into egg whites in a fine stream and whip 1 to 1½ minutes. Add vanilla and whip about 5 minutes longer, or until frosting loses its gloss and stands in stiff peaks. Frost cake immediately.

Yield: 12 to 16 servings (frosting for 2-layer or 13x9x2-inch [33x23x5-cm] cake).

Per serving: About 109 cal, 1 g pro, 27 g carb, 0 g fat, 0 mg chol, 101 mg sod.

Orange Cream Cheese Frosting

- 4 *cups (1 L) powdered sugar*
- 1 *package (8 oz. [250 g]) light cream cheese*
- 1 *teaspoon (5 mL) orange juice*
- ½ *teaspoon (2 mL) grated orange peel*

Place all ingredients in mixer bowl. Attach bowl and flat beater to mixer. Turn to Stir Speed and mix about 30 seconds, or until blended. Turn to Speed 4 and beat about 2 minutes, or until smooth and creamy.

Yield: 12 to 16 servings (frosting for 2-layer or 13x9x2-inch cake[33x23x 5-cm]).

Per serving: About 196 cal, 2 g pro, 41 g carb, 3 g fat, 7 mg chol, 107 mg sod.

Creamy No-Cook Mints

- *3 ounces (90 g) light cream cheese*
- *¼ teaspoon (1 mL) mint flavouring*
- *2 drops green food colour or colour of choice*
- *4¼-4½ cups (1.05-1.125 L) powdered sugar*
- *Superfine sugar*

Place cream cheese, flavouring, and food colour in mixer bowl. Attach bowl and flat beater to mixer. Turn to Speed 2 and mix about 30 seconds, or until smooth. Continuing on Speed 2, gradually add powdered sugar and mix about 1½ minutes, or until mixture becomes very stiff.

To make mints, dip individual flexible candy molds in superfine sugar. Press in mint mixture. Turn out onto waxed paper covered with superfine sugar. Repeat until all mixture is used. OR: Shape mixture into ¾-inch (2-cm) balls, using about 1 teaspoon (5 mL) for each ball. Roll in superfine sugar. Place on waxed paper covered with superfine sugar. Flatten slightly with thumb to form ¼-inch (5-mm) thick patties. If desired, press back of fork lightly on patties to form ridges.

Store mints, tightly covered, in refrigerator. Mints also freeze well.

Yield: 42 servings (2 candies per serving).

Per serving: About 54 cal, 0 g pro, 13 g carb, 0 g fat, 1 mg chol, 12 mg sod.

Chocolate Fudge

- *Butter*
- *2 cups (500 mL) sugar*
- *⅛ teaspoon (.5 mL) salt*
- *¾ cup (175 mL) evaporated milk*
- *1 teaspoon (5 mL) light corn syrup*
- *2 squares (1 oz. [30 g] each) unsweetened chocolate*
- *2 tablespoons (30 mL) butter or margarine*
- *1 teaspoon (5 mL) vanilla*
- *2 cup (500 mL) chopped walnuts or pecans*

Butter sides of heavy 2-quart (1.9L) saucepan. Combine sugar, salt, evaporated milk, corn syrup, and chocolate in pan. Cook and stir over medium heat until chocolate melts and sugar dissolves. Cook to soft ball stage (236°F [113°C]) without stirring. Remove immediately from heat. Add butter without stirring. Cool to lukewarm (110°F [43°C]). Stir in vanilla.

Pour mixture into mixer bowl. Attach bowl and flat beater to mixer. Turn to Speed 2 and mix about 8 minutes, or until fudge stiffens and loses its gloss. Quickly turn to Stir Speed and add walnuts, mixing just until blended. Spread in buttered 9x9x2-inch (23x23x 5-cm) baking pan. Cool at room temperature. Cut into 1-inch (2.5-cm) squares when firm.

Yield: 64 servings (1 square per serving).

Per serving: About 59 cal, 1 g pro, 7 g carb, 3 g fat, 1 mg chol, 12 mg sod.

Divinity

- 3 *cups (750 mL) sugar*
- ¾ *cup (175 mL) light corn syrup*
- ½ *cup (125 mL) water*
- 2 *egg whites*
- 1 *teaspoon (5 mL) almond extract*
- 1 *cup (250 mL) chopped walnuts or pecans*

Place sugar, corn syrup, and water in heavy saucepan. Cook and stir over medium heat to hard ball stage (248°F [120°C]). Remove from heat and let stand until temperature drops to 220°F (100°C), without stirring.

Place egg whites in mixer bowl. Attach bowl and wire whip to mixer. Turn to Speed 8 and whip about 1 minute, or until soft peaks form. Gradually add syrup in a fine stream and whip about 2½ minutes longer.

Turn to Speed 4. Add almond extract and whip 20 to 25 minutes, or until mixture starts to become dry. Turn to Stir Speed and add walnuts, mixing just until blended.

Drop mixture from measuring tablespoon onto waxed paper or greased baking sheet to form patties.

Yield: 20 servings (2 pieces per serving).

Per serving: About 192 cal, 2 g pro, 40 g carb, 4 g fat, 0 mg chol, 15 mg sod.

Chocolate Chip Cookies

- 1 *cup (250 mL) granulated sugar*
- 1 *cup (250 mL) brown sugar*
- 1 *cup (250 mL) butter or margarine, softened*
- 2 *eggs*
- 1½ *teaspoons (7 mL) vanilla*
- 1 *teaspoon (5 mL) baking soda*
- 1 *teaspoon (5 mL) salt*
- 3 *cups (750 mL) all-purpose flour*
- 12 *ounces (360g) semi-sweet chocolate chips*

Place sugars, butter, eggs, and vanilla in mixer bowl. Attach bowl and flat beater to mixer. Turn to Speed 2 and mix about 30 seconds. Stop and scrape bowl. Turn to Speed 4 and beat about 30 seconds. Stop and scrape bowl.

Turn to Stir Speed. Gradually add baking soda, salt, and flour to sugar mixture and mix about 2 minutes. Turn to Speed 2 and mix about 30 seconds. Stop mixer and scrape bowl. Add chocolate chips. Turn to Stir Speed and mix about 15 seconds.

Drop by rounded teaspoonfuls onto greased baking sheets, about 2 inches (5-cm) apart. Bake at 375°F (190°C) for 10 to 12 minutes. Remove from baking sheets immediately and cool on wire racks.

Yield: 54 servings (1 cookie per serving).

Per serving: About 117 cal, 1 g pro, 17 g carb, 5 g fat, 8 mg chol, 106 mg sod.

VARIATIONS

2 cups (500 mL) raisins, coconut, or chopped walnuts may be substituted for chocolate chips.

Macadamia Chocolate Chunk Cookies

- 1 *cup (250 mL) firmly packed brown sugar*
- ¾ *cup (175 mL)sugar*
- 1 *cup (250 mL) margarine or butter, softened*
- 2 *teaspoons (10 mL) vanilla*
- 2 *eggs*
- 2¼ *cups (550 mL) all-purpose flour, divided*
- ½ *cup (125 mL) unsweetened cocoa powder*
- 1 *teaspoon (5 mL) baking soda*
- ½ *teaspoon (2 mL) salt*
- 1 *package (8 oz. [250 g]) semi-sweet baking chocolate, cut into small chunks*
- 1 *jar (3½ oz.[105 g]) macadamia nuts, coarsely chopped*

Place brown sugar, sugar, margarine, vanilla, and eggs in mixer bowl. Attach bowl and flat beater to mixer. Turn to Speed 2 and mix about 30 seconds. Stop and scrape bowl. Turn to Speed 4 and beat about 1 minute. Stop and scrape bowl.

Add 1 cup (250 mL) flour, cocoa powder, baking soda, and salt. Turn to Stir Speed and mix about 30 seconds. Gradually add remaining 1¼ cups (300 mL) flour and mix about 30 seconds longer. Turn to Speed 2 and mix about 30 seconds. Turn to Stir Speed and add chocolate chunks and nuts, mixing just until blended.

Drop by rounded teaspoonfuls onto greased baking sheets, about 2 inches (5 cm) apart. Bake at 325°F (160°C) for 12 to 13 minutes, or until edges are set. DO NOT OVERBAKE. Cool on baking sheets about 1 minute. Remove to wire racks and cool completely.

Yield: 48 servings (1 cookie per serving).

Per serving: About 125 cal, 2 g pro, 16 g carb, 7 g fat, 9 mg chol, 107 mg sod.

Sugar Cookies

- 1 *cup (250 mL) margarine or butter, softened*
- 1 *teaspoon (5 mL) vanilla*
- ¾ *cup (175 mL) sugar*
- 2 *eggs, beaten*
- 1 *teaspoon (5 mL) cream of tartar*
- ½ *teaspoon (2 mL) baking soda*
- ¼ *teaspoon (1 mL) nutmeg*
- ¼ *teaspoon (1 mL) salt*
- 2 *cups (500 mL) all-purpose flour*
- *Sugar*

Place margarine and vanilla in mixer bowl. Attach bowl and flat beater to mixer. Turn to Speed 6 and beat about 2 minutes, or until mixture is smooth. Gradually add ¾ cup (175 mL) sugar and beat about 1½ minutes longer. Add eggs and beat about 30 seconds. Stop and scrape bowl.

Turn to Stir Speed. Gradually add cream of tartar, baking soda, nutmeg, salt, and flour to sugar mixture. Mix about 1 minute, or until well blended.

Drop by rounded teaspoonfuls onto greased baking sheets, about 3 inches (7.5 cm) apart. Bake at 400°F (200°C) for 6 to 8 minutes. Sprinkle with sugar while still hot. Remove from baking sheets immediately and cool on wire racks.

Yield: 48 servings (1 cookie per serving).

Per serving: About 69 cal, 1 g pro, 8 g carb, 4 g fat, 9 mg chol, 70 mg sod.

Peanut Butter Cookies

- ½ *cup (125 mL) peanut butter*
- ½ *cup (125 mL) butter or margarine, softened*
- ½ *cup (125 mL) granulated sugar*
- ½ *cup (125 mL) brown sugar*
- 1 *egg*
- ½ *teaspoon (2 mL) vanilla*
- ½ *teaspoon (2 mL) baking soda*
- ¼ *teaspoon (1 mL) salt*
- 1¼ *cups (300 mL) all-purpose flour*

Place peanut butter and butter in mixer bowl. Attach bowl and flat beater to mixer. Turn to Speed 6 and beat about 1 minute, or until mixture is smooth. Stop and scrape bowl. Add sugars, egg, and vanilla. Turn to Speed 4 and beat about 1 minute. Stop and scrape bowl.

Turn to Stir Speed. Gradually add all remaining ingredients to sugar mixture and mix about 30 seconds. Turn to Speed 2 and mix about 30 seconds.

Roll dough into 1-inch (2.5-cm) balls. Place about 2 inches (5-cm) apart on ungreased baking sheets. Press flat with fork in a criss-cross pattern to ¼-inch (5-mm) thickness.

Bake at 375°F (190°C) for 10 to 12 minutes, or until golden brown. Remove from baking sheets immediately and cool on wire racks.

Yield: 36 servings (1 cookie per serving).

Per serving: About 83 cal, 2 g pro, 10 g carb, 4 g fat, 6 mg chol, 81 mg sod.

Nutty Shortbread Bars

- 1 *cup (250 mL) butter or margarine, softened*
- 1 *cup (250 mL) firmly packed brown sugar*
- 2 *cups (500 mL) all-purpose flour*
- 1 *teaspoon (5 mL) baking powder*
- ½ *teaspoon (2 mL) salt*
- 2 *egg whites*
- 1 *cup (250 mL) chopped walnuts or pecans*

Place butter and brown sugar in mixer bowl. Attach bowl and flat beater to mixer. Turn to Speed 2 and mix about 1 minute. Stop and scrape bowl. Add flour, baking powder, and salt. Turn to Speed 2 and mix about 1½ minutes, or until soft dough forms.

Press dough into greased 15½x10½x1-inch (40x25x2-cm) baking pan. Beat egg whites with fork until slightly foamy. Brush dough with egg whites, using only as much as needed to cover lightly. Sprinkle with chopped walnuts.

Bake at 375°F (190°C) for 20 to 25 minutes. Cut into bars while warm. Cool on wire rack.

Yield: 30 servings (1 bar per serving).

Per serving: About 139 cal, 2 g pro, 14 g carb, 8 g fat, 17 mg chol, 114 mg sod.

Fudge Brownies

- 1 *cup (250 mL) margarine or butter, softened*
- 4 *squares (1 oz. [30 g] each) unsweetened chocolate*
- 2 *cups (500 mL) sugar*
- 1 *teaspoon (5 mL) vanilla*
- 3 *eggs*
- 1 *cup (250 mL) all-purpose flour*
- ½ *teaspoon (2 mL) salt*
- 1 *cup (250 mL) chopped walnuts or pecans*

Melt ½ cup (125 mL) margarine and chocolate in small saucepan over low heat; cool. Place remaining ½ cup (125 mL) margarine, sugar, and vanilla in mixer bowl. Attach bowl and flat beater to mixer. Turn to Speed 2 and mix about 30 seconds. Turn to Speed 6 and beat about 2 minutes. Turn to Speed 4. Add eggs, one at a time, beating about 15 seconds after each addition. Stop and scrape bowl.

Add cooled chocolate mixture. Turn to Speed 2 and mix about 30 seconds. Stop and scrape bowl. Add all remaining ingredients. Turn to Stir Speed and mix about 30 seconds, or until well blended.

Pour into greased and floured 13x9x2-inch (33x23x5-cm) baking pan. Bake at 350°F (180°C) for 45 minutes. Cool in pan on wire rack and cut.

Yield: 36 servings (1 brownie per serving).

Per serving: About 143 cal, 2 g pro, 16 g carb, 9 g fat, 18 mg chol, 93 mg sod.

Lemon Cream Cheese Bars

Crust

2 *cups (500 mL) all-purpose flour*

½ *cup (125 mL) powdered sugar*

1 *cup (250 mL) (2 sticks) chilled butter, cut into chunks*

Cream Cheese Filling

1 *package (8 oz. [250 g]) light cream cheese*

½ *cup (125 mL) powdered sugar*

2 *tablespoons (30 mL) flour*

2 *eggs*

1 *teaspoon (5 mL) vanilla*

Lemon Filling

4 *eggs*

2 *cups (500 mL) granulated sugar*

¼ *cup (50 mL) all-purpose flour*

1 *teaspoon (5 mL) grated lemon peel*

¼ *cup (50 mL) lemon juice*

Powdered sugar, if desired

Place **Crust** ingredients in mixer bowl. Attach bowl and flat beater to mixer. Turn to Stir Speed and mix about 1 minute, or until well blended and mixture starts to stick together. Press into ungreased 15½x10½x1-inch (40x25x2-cm) baking pan. Bake at 350°F (180°C) for 14 to 16 minutes, or until set. (**Note:** Check **Crust** after 10 minutes and prick with fork if it puffs up during baking.) Remove from oven.

Meanwhile, clean mixer bowl and beater. Place **Cream Cheese Filling** ingredients in mixer bowl. Attach bowl and flat beater to mixer. Turn to Stir Speed and mix about 30 seconds. Turn to Speed 4 and beat about 2 minutes, or until smooth and creamy. Pour over partially baked **Crust**. Bake at 350°F (180°C) for 6 to 7 minutes, or until filling is slightly set. Remove from oven.

Meanwhile, clean mixer bowl and beater. Place all **Lemon Filling** ingredients, except lemon juice, in mixer bowl. Attach bowl and flat beater to mixer. Turn to Stir Speed and mix about 30 seconds. Turn to Speed 2. Gradually add lemon juice and mix about 30 seconds, or until well blended. Pour over **Cream Cheese Filling**. Bake at 350°F (180°C) for 14 to 16 minutes, or until filling is set. (**Note:** Filling may puff up during baking but will fall when removed from oven.) Sprinkle with powdered sugar, if desired. Cool completely in pan.

Yield: 48 servings (1 bar per serving).

Per serving: About 115 cal, 2 g pro, 16 g carb, 5 g fat, 39 mg chol, 65 mg sod.

KitchenAid Pie Pastry

- 2¼ *cups (550 mL) all-purpose flour*
- ¾ *teaspoon (3 mL) salt*
- ½ *cup (125 mL) shortening, well chilled*
- 2 *tablespoons (30 mL) butter or margarine, well chilled*
- 5-6 *tablespoons (60-70 mL) cold water*

Place flour and salt in mixer bowl. Attach bowl and flat beater to mixer. Turn to Stir Speed and mix about 15 seconds. Cut shortening and butter into pieces and add to flour mixture. Turn to Stir Speed and mix 30 to 45 seconds, or until shortening particles are size of small peas.

Continuing on Stir Speed, add water, 1 tablespoon (15 mL) at a time, mixing until all particles are moistened and dough begins to hold together.

Divide dough in half. Pat each half into a smooth ball and flatten slightly. Wrap in plastic wrap. Chill in refrigerator 15 minutes.

Roll one half of dough to ⅛-inch (3 mm) thickness between waxed paper. Fold pastry into quarters. Ease into 8- or 9-inch (20- or 23-cm) pie plate and unfold, pressing firmly against bottom and sides. Continue with one of the procedures that follow.

For One-crust Pie: Fold edge under. Crimp, as desired. Add desired pie filling. Bake as directed.

For Two-crust Pie: Trim pastry even with edge of pie plate. Using second half of dough, roll out another pastry crust. Add desired pie filling. Top with second pastry crust. Seal edge. Crimp, as desired. Cut slits for steam to escape. Bake as directed.

For Baked Pastry Shell: Fold edge under. Crimp, as desired. Prick sides and bottom with fork. Bake at 450°F (230°C) for 8 to 10 minutes, or until lightly browned. Cool completely on wire rack and fill.

Alternate Method for Baked Pastry Shell: Fold edge under. Crimp, as desired. Line shell with foil. Fill with pie weights or dried beans. Bake at 450°F (230°C) for 10 to 12 minutes, or until edges are lightly browned. Remove pie weights and foil. Cool completely on wire rack and fill.

Yield: 8 servings (two 8- or 9-inch [20- or 23-cm] crusts).

Per serving (one crust): About 134 cal, 2 g pro, 13 g carb, 8 g fat, 0 mg chol, 118 mg sod.

Per serving (two crusts): About 267 cal, 4 g pro, 27 g carb, 16 g fat, 0 mg chol, 236 mg sod.

Apple Pie

- 1 *cup (250 mL) sugar*
- 2 *tablespoons (30 mL) all-purpose flour*
- 1 *teaspoon (5 mL) cinnamon*
- ⅛ *teaspoon (.5 mL) nutmeg*
- ⅛ *teaspoon (.5 mL) salt*
- 6-8 *medium tart cooking apples, peeled, cored, and thinly sliced*
- 2 *tablespoons (30 mL) margarine or butter*
- *KitchenAid Pie Pastry for Two-crust Pie (see page 41)*

Combine sugar, flour, cinnamon, nutmeg, and salt in large bowl. Stir in apples.

Follow procedure for Two-crust Pie. Fill with apple mixture and dot with margarine. Sprinkle top crust with sugar, if desired.

Bake at 400°F (200°C) for 50 minutes.

Yield: 8 servings.

Per serving (filling and crust): About 451 cal, 4 g pro, 68 g carb, 19 g fat, 0 mg chol, 301 mg sod.

Country Pear Cobbler

Filling

- ¾ *cup (175 mL) firmly packed brown sugar*
- 3 *tablespoons (45 mL) all-purpose flour*
- ⅛ *teaspoon (.5 mL) salt*
- ⅛ *teaspoon (.5 mL) nutmeg*
- *Dash cloves*
- 2 *tablespoons (30 mL) lemon juice*
- 6-8 *medium pears, peeled, cored, and thinly sliced*

Topping

- 1 *cup (250 mL) all-purpose flour*
- 2 *tablespoons (30 mL) sugar*
- 1 *teaspoon (5 mL) baking powder*
- ½ *teaspoon (2 mL) baking soda*
- ½ *cup (125 mL) buttermilk*
- 3 *tablespoons (45 mL) margarine or butter, melted*
- 1 *tablespoon (15 mL) sugar, if desired*
- *Light cream, if desired*

Combine all **Filling** ingredients, except pears, in large skillet. Stir in sliced pears. Cook over medium heat about 5 minutes, or until hot and bubbly, stirring gently. Set aside.

To make **Topping**, place flour, sugar, baking powder, and baking soda in mixer bowl. Attach bowl and flat beater to mixer. Turn to Stir Speed and mix about 30 seconds. Add buttermilk and melted margarine. Continuing on Stir Speed, mix about 30 seconds, or just until blended.

Pour hot **Filling** into 8- or 9-inch (20- or 23-cm) baking pan. Top evenly with large spoonfuls of **Topping**. Sprinkle with 1 tablespoon (15 mL) sugar, if desired. Bake at 375°F (190°C) for 30 to 35 minutes, or until pears are tender and bubbly and **Topping** is golden brown. Serve warm with light cream, if desired.

Yield: 8 to 10 servings.

Per serving: About 276 cal, 3 g pro, 57 g carb, 5 g fat, 1 mg chol, 219 mg sod.

Vanilla Cream Pie

½ cup (125 mL) sugar
6 tablespoons (90 mL) all-purpose flour
¼ teaspoon (1 mL) salt
2½ cups (625 mL) low-fat milk
3 egg yolks
1 tablespoon (15 mL) margarine or butter
1 teaspoon (5 mL) vanilla
KitchenAid Baked Pastry Shell (see page 41)

Meringue
¼ teaspoon (1 mL) cream of tartar
⅛ teaspoon (.5 mL) salt
3 egg whites
½ cup (125 mL) sugar

Combine sugar, flour, and salt in heavy saucepan. Add milk and cook over medium heat until thickened, stirring constantly. Reduce heat to low. Cook, covered, about 10 minutes longer, stirring occasionally. Set aside.

Place egg yolks in mixer bowl. Attach bowl and wire whip to mixer. Turn to Speed 8 and whip about 1 minute. Slowly stir small amount of milk mixture into yolks. Add yolk mixture to saucepan. Cook over medium heat 3 to 4 minutes, stirring constantly. Remove from heat. Add margarine and vanilla; cool. Pour into Baked Pastry Shell.

To make **Meringue**, place cream of tartar, salt, and egg whites in mixer bowl. Attach bowl and wire whip to mixer. Gradually turn to Speed 8 and whip about 1 minute, or until soft peaks form. Turn to Speed 4. Gradually add sugar and whip about 1 minute, or until stiff peaks form.

Lightly pile **Meringue** on pie and spread to edge. Bake at 325°F (160°C) for 15 minutes, or until lightly browned.

Yield: 8 servings.

Per serving (filling and crust): About 332 cal, 7 g pro, 47 g carb, 13 g fat, 86 mg chol, 297 mg sod.

Variations continued on next page.

Vanilla Cream Pie *CONTINUED*

VARIATIONS

Chocolate Cream Pie

Add 2 squares (1 oz. [30 g] each) melted, unsweetened chocolate to filling along with margarine and vanilla. Proceed as directed on previous page.

Per serving (filling and crust): About 368 cal, 8 g pro, 49 g carb, 16 g fat, 86 mg chol, 298 mg sod.

Banana Cream Pie

Slice 2 or 3 ripe bananas into pastry shell before adding filling. Proceed as directed on previous page.

Per serving (filling and crust): About 359 cal, 8 g pro, 54 g carb, 13 g fat, 86 mg chol, 298 mg sod.

Coconut Cream Pie

Add ½ cup (125 mL) flaked coconut to filling before adding to pastry shell. Before baking, sprinkle ¼ cup (50 mL) flaked coconut on meringue. Proceed as directed on previous page.

Per serving (filling and crust): About 376 cal, 8 g pro, 51 g carb, 16 g fat, 86 mg chol, 320 mg sod.

Lemony Light Cheesecake

Crust

- 15 *reduced-fat creme-filled chocolate sandwich cookies, finely crushed (about 1½ cups [375 mL] crumbs)*
- 2 *tablespoons (30 mL) butter or margarine, melted*

Filling

- 3 *packages (8 oz. [250 g] each) light cream cheese*
- 1 *cup (250 mL) sugar*
- 1 *tablespoon (15 mL) all-purpose flour*
- 4 *eggs*
- ¼ *cup (50 mL) lemon juice*
- 1 *teaspoon (5 mL) grated lemon peel*

Spray bottom and sides of 9-inch (23-cm) springform pan with no-stick cooking spray.

To make **Crust**, combine cookie crumbs and butter in medium bowl; mix well. Press mixture firmly into bottom of springform pan. Chill while making **Filling**.

To make **Filling**, place cream cheese, sugar, and flour in mixer bowl. Attach bowl and flat beater to mixer. Turn to Speed 2 and mix about 30 seconds. Stop and scrape bowl. Turn to Speed 2 and mix about 30 seconds longer. Stop and scrape bowl.

Add eggs, lemon juice, and lemon peel. Turn to Stir Speed and mix about 30 seconds. Stop and scrape bowl. Turn to Speed 2 and mix 15 to 30 seconds longer, just until blended. Do not overbeat. Pour **Filling** into **Crust**.

Place top oven rack in center of oven. Place pan of hot water on bottom rack of oven. Place cheesecake on rack in center of oven. Bake at 325°F (160°C) for 50 to 60 minutes, or until cheesecake is set when pan is jiggled slightly. Do not overbake.

Turn off oven; open oven door. Let cheesecake stand in oven 30 minutes. Remove from oven. Cool completely on wire rack away from drafts. Cover and refrigerate 6 to 8 hours before serving.

Yield: 16 servings.

Per serving: About 169 cal, 6 g pro, 20 g carb, 7 g fat, 68 mg chol, 214 mg sod.

Tawny Pumpkin Pie

- 1 *can (16 oz. [500 g]) pumpkin*
- ¾ *cup (175 mL) firmly packed brown sugar*
- 3 *eggs*
- 1 *teaspoon (5 mL) cinnamon*
- ½ *teaspoon (2 mL) ginger*
- ½ *teaspoon (2 mL) salt*
- ¼ *teaspoon (1 mL) cloves*
- 1¼ *cups (300 mL) low-fat milk*
- *Pie Pastry for One-crust Pie (see page 41)*

Place pumpkin, brown sugar, eggs, cinnamon, ginger, salt, and cloves in mixer bowl. Attach bowl and flat beater to mixer. Turn to Speed 2 and mix about 30 seconds. Stop and scrape bowl. Continuing on Speed 2, slowly add milk and mix about 1½ minutes.

Follow procedure for One-crust Pie. Fill with pumpkin mixture. Bake at 400°F (200°C) for 40 to 50 minutes, or until knife inserted near center comes out clean.

Yield: 8 servings.

Per serving (filling and crust): About 280 cal, 6 g pro, 41 g carb, 11 g fat, 87 mg chol, 325 mg sod.

General Instructions For Making And Kneading Yeast Dough with the Rapid Mix Method

"Rapid Mix" describes a bread baking method that calls for dry yeast to be mixed with other dry ingredients before liquid is added. In contrast, the traditional method is to dissolve yeast in warm water.

1. Place all dry ingredients including yeast into bowl, except last 1 to 2 cups (250 to 500 mL) flour.
2. Attach bowl and dough hook. Turn to Speed 2 and mix about 15 seconds, or until ingredients are combined.
3. Continuing on Speed 2, gradually add liquid ingredients to flour mixture and mix 1 to 2 minutes longer. See Illustration A.

Note: If liquid ingredients are added too quickly, they will form a pool around the dough hook and slow down mixing process.

4. Continuing on Speed 2, gently add remaining flour, ½ cup (125 mL) at a time. See Illustration B. Mix until dough clings to hook and cleans sides of bowl, about 2 minutes.
5. When dough clings to hook, knead on Speed 2 for 2 minutes, or until dough is smooth and elastic. See Illustration C.
6. Unlock and tilt back head (tilt-head models) or lower bowl (bowl-lift models) and remove dough from hook. Follow directions in recipe for rising, shaping and baking.

When using the traditional method to prepare a favourite recipe, dissolve yeast in warm water in warmed bowl. Add remaining liquids and dry ingredients, except last 1 to 2 cups (250 to 500 mL) flour. Turn to Speed 2 and mix about 1 minute, or until ingredients are thoroughly mixed. Proceed with Steps 4 through 6.

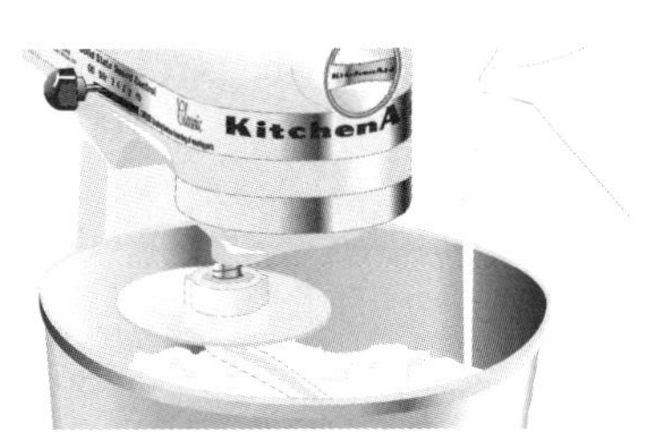

ILLUSTRATION A

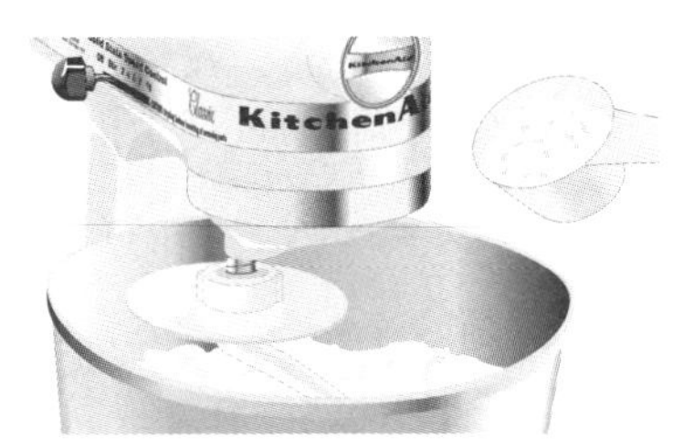

ILLUSTRATION B

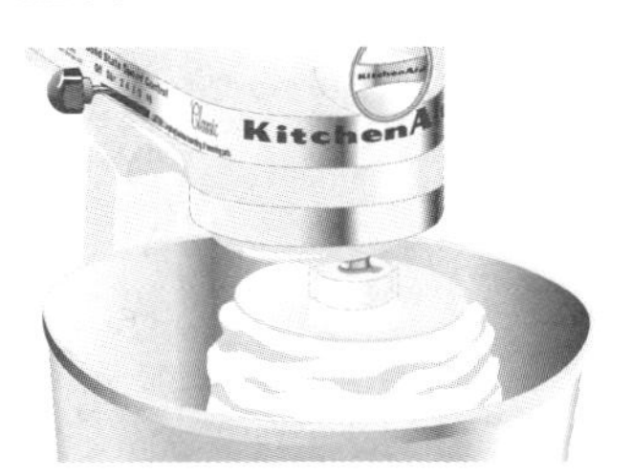

ILLUSTRATION C

Both methods work equally well for bread preparation. However, the "Rapid Mix" method may be a bit faster and easier for new bread bakers. It is slightly more temperature tolerant because the yeast is mixed with dry ingredients rather than with warm liquid.

Bread Making Tips

Making bread with a mixer is quite different from making bread by hand. Therefore, it will take some practice before you are completely comfortable with the new process. For your convenience, we offer these tips to help you become accustomed to bread making the KitchenAid® way.

- Start out with an easy recipe, like Basic White Bread, page 49, until you are familiar with using the dough hook.
- ALWAYS use the dough hook to mix and knead yeast doughs.
- NEVER exceed Speed 2 when using the dough hook.
- NEVER use recipes calling for more than 8 cups (2 L) all-purpose flour or 6 cups (1.5 L) whole wheat flour when making dough with a 4½ quart (4.26 L) mixer.
- NEVER use recipes calling for more than 10 cups (2.5 L) all-purpose flour or 6 cups (1.5 L) whole wheat flour when making dough with a 5 quart (4.73 L) mixer.
- Use a candy or other kitchen thermometer to assure that liquids are at temperature specified in the recipe. Liquids at higher temperature can kill yeast, while liquids at lower temperatures will retard yeast growth.
- Warm all ingredients to room temperature to insure proper rising of dough. If yeast is to be dissolved in bowl, always warm bowl first by rinsing with warm water to prevent cooling of liquids.
- Allow bread to rise in a warm place, 80°F to 85°F (27°C to 30°C), free from draft, unless otherwise specified in recipe.
- Here are some alternative rising methods to use: (1) The bowl containing the dough can be placed on a wire rack over a pan of hot water. (2) The bowl can be placed on the top rack of an unheated oven; put a pan of hot water on the rack below. (3) Turn the oven to 400°F (200 °C) for 1 minute; then turn it off; place the bowl on the center rack of the oven and close the door.

  Cover bowl with waxed paper, if desired. Always cover with towel to retain warmth in the bowl and protect the dough from drafts.
- Recipe rising times may vary due to temperature and humidity in your kitchen. Dough has doubled in bulk when indentation remains after tips of fingers are pressed lightly and quickly into dough.
- Most bread recipes give a range for the amount of flour to be used. Enough flour has been added when the dough clings to the hook and cleans sides of bowl. If dough is sticky or humidity is high, slowly add more flour, about ½ cup (125 mL) at a time but NEVER exceed recommended flour capacity. Knead after each addition until flour is completely worked into dough. If too much flour is added, a dry loaf will result.
- Some types of dough, especially those made with whole grain flours, may not form a ball on the hook. However, as long as the hook comes in contact with the dough, kneading will be accomplished.

Continued on next page.

Bread Making Tips

- Some large recipes and soft doughs may occasionally climb over the collar of the hook. This usually indicates that the dough is sticky and more flour should be added. The sooner all the flour is added, the less likely the dough will climb the hook. For such recipes, try starting with all but the last cup of flour in the initial mixing process. Then add the remaining flour as quickly as possible.
- When done, yeast breads and rolls should be deep golden brown in colour. Other tests for doneness of breads are: Bread pulls away from the sides of pan, and tapping on the top of the loaf produces a hollow sound. Turn loaves and rolls onto racks immediately after baking to prevent sogginess.

Shaping A Loaf

Divide dough in half. On lightly floured surface, roll each half into a rectangle, approximately 9x14 inches (23x36 cm). A rolling pin will smooth dough and remove bubbles.

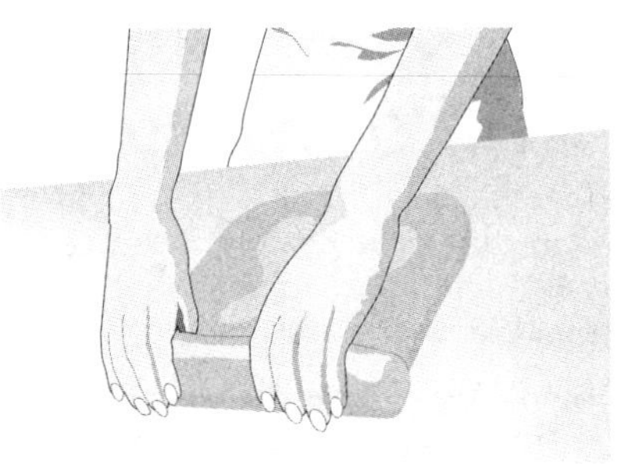

Starting at a short end, roll dough tightly. Pinch dough to seal seam.

Pinch ends and turn under. Place, seam side down, in loaf pan. Follow directions in recipe for rising and baking.

Basic White Bread

- ½ *cup (125 mL) low-fat milk*
- 3 *tablespoons (45 mL) sugar*
- 2 *teaspoons (10 mL) salt*
- 3 *tablespoons (45 mL) butter or margarine*
- 2 *packages active dry yeast*
- 1½ *cups (375 mL) warm water (105°F to 115°F [40°C to 46°C])*
- 5-6 *cups (1.25-1.5 L) all-purpose flour*

Place milk, sugar, salt, and butter in small saucepan. Heat over low heat until butter melts and sugar dissolves. Cool to lukewarm.

Dissolve yeast in warm water in warmed mixer bowl. Add lukewarm milk mixture and 4½ cups (1.125 L) flour. Attach bowl and dough hook to mixer. Turn to Speed 2 and mix about 1 minute.

Continuing on Speed 2, add remaining flour, ½ cup (125 mL) at a time, and mix about 2 minutes, or until dough clings to hook and cleans sides of bowl. Knead on Speed 2 about 2 minutes longer, or until dough is smooth and elastic. Dough will be slightly sticky to the touch.

Place dough in greased bowl, turning to grease top. Cover. Let rise in warm place, free from draft, about 1 hour, or until doubled in bulk.

Punch dough down and divide in half. Shape each half into a loaf, as directed on page 48, and place in greased 8½x4½x2½-inch (21x12x6-cm) baking pans. Cover. Let rise in warm place, free from draft, about 1 hour, or until doubled in bulk.

Bake at 400°F (200°C) for 30 minutes, or until golden brown. Remove from pans immediately and cool on wire racks.

Yield: 32 servings (16 slices per loaf).

Per serving: About 95 cal, 3 g pro, 18 g carb, 1 g fat, 0 mg chol, 148 mg sod.

Variations continued on next page.

VARIATIONS

Cinnamon Bread

Prepare dough, divide, and roll out each half to a rectangle, as directed on page 48. Mix together ½ cup (125 mL) sugar and 2 teaspoons (10 mL) cinnamon in small bowl. Spread each rectangle with 1 tablespoon (15 mL) softened butter or margarine. Sprinkle with half of sugar mixture. Finish rolling and shaping loaves. Place in well-greased 8½x4½x2½-inch (21x12x6-cm) baking pans. Cover. Let rise in warm place, free from draft, about 1 hour, or until doubled in bulk. If desired, brush tops with beaten egg white. Bake at 375°F (190°C) for 40 to 45 minutes, or until golden brown. Remove from pans immediately and cool on wire racks.

Yield: 32 servings (16 slices per loaf).

Per serving: About 111 cal, 3 g pro, 21 g carb, 2 g fat, 0 mg chol, 152 mg sod.

Sixty-Minute Rolls

Increase yeast to 3 packages and sugar to ¼ cup (50 mL). Mix and knead dough as directed for Basic White Bread on page 49. Place in greased bowl, turning to grease top. Cover. Let rise in warm place, free from draft, about 15 minutes. Turn dough onto lightly floured surface. Shape as desired (see following suggestions). Cover. Let rise in slightly warm oven (90°F [32°C]) about 15 minutes. Bake at 425°F (215°C) for 12 minutes, or until golden brown. Remove from pans immediately and cool on wire racks.

Curlicues: Divide dough in half and roll each half to 12x9-inch (30x22-cm) rectangle. Cut 12 equal strips about 1 inch (2.5 cm) wide. Roll each strip tightly to form a coil, tucking ends underneath. Place on greased baking sheets about 2 inches (5 cm) apart.

Cloverleafs: Divide dough into 24 equal pieces. Form each piece into a ball and place in greased muffin pan. With scissors, cut each ball in half, then quarters.

Yield: 24 servings (1 roll per serving).

Per serving: About 130 cal, 4 g pro, 25 g carb, 2 g fat, 0 mg chol, 198 mg sod.

Whole Grain Wheat Bread

- ⅓ *cup (75 mL) plus 1 tablespoon (15 mL) brown sugar*
- 2 *cups (500 mL) warm water (105°F to 115°F [40°C to 46°C])*
- 2 *packages active dry yeast*
- 5-6 *cups (1.25 to 1.5 L) whole wheat flour*
- ¾ *cup (175 mL) powdered milk*
- 2 *teaspoons (10 mL) salt*
- ⅓ *cup (75 mL) oil*

Dissolve 1 tablespoon (15 mL) brown sugar in warm water in small bowl. Add yeast and let mixture stand.

Place 4 cups (1 L) flour, powdered milk, ⅓ cup (75 mL) brown sugar, and salt in mixer bowl. Attach bowl and dough hook to mixer. Turn to Speed 2 and mix about 15 seconds. Continuing on Speed 2, gradually add yeast mixture and oil to flour mixture and mix about 1½ minutes longer. Stop and scrape bowl, if necessary.

Continuing on Speed 2, add remaining flour, ½ cup (125 mL) at a time, and mix about 2 minutes, or until dough clings to hook and cleans sides of bowl. Knead on Speed 2 about 2 minutes longer.

Note: Dough may not form a ball on hook. However, as long as hook comes in contact with dough, kneading will be accomplished. Do not add more than the maximum amount of flour specified or a dry loaf will result.

Place dough in greased bowl, turning to grease top. Cover. Let rise in warm place, free from draft, about 1 hour, or until doubled in bulk.

Punch dough down and divide in half. Shape each half into a loaf as directed on page 48. Place in greased 8½x4½x2½-inch (21x12x6-cm) baking pan. Cover. Let rise in warm place, free from draft, about 1 hour, or until doubled in bulk.

Bake at 400°F (200°C) for 15 minutes. Reduce oven temperature to 350°F (180°C) and bake 30 minutes longer. Remove from pans immediately and cool on wire racks.

Yield: 32 servings (16 slices per loaf).

Per serving: About 112 cal, 4 g pro, 19 g carb, 3 g fat, 2 mg chol, 146 mg sod.

French Bread

- 2 *packages active dry yeast*
- 2½ *cups (625 mL) warm water (105°F to 115° F [40° C to 46° C])*
- 1 *tablespoon (15 mL) salt*
- 1 *tablespoon (15 mL) butter or margarine, melted*
- 7 *cups (1.75 L) all-purpose flour*
- 2 *tablespoons (10 mL) cornmeal*
- 1 *egg white*
- 1 *tablespoon (15 mL) cold water*

Dissolve yeast in warm water in warmed mixer bowl. Add salt, butter, and flour. Attach bowl and dough hook to mixer. Turn to Speed 2 and mix about 1 minute, or until well blended. Knead on Speed 2 about 2 minutes longer. Dough will be sticky.

Place dough in greased bowl, turning to grease top. Cover. Let rise in warm place, free from draft, about 1 hour, or until doubled in bulk.

Punch dough down and divide in half. Roll each half into 12x15-inch (30x37-cm) rectangle. Roll dough tightly, from longest side, tapering ends if desired. Place loaves on greased baking sheets that have been dusted with cornmeal. Cover. Let rise in warm place, free from draft, about 1 hour, or until doubled in bulk.

With sharp knife, make 4 diagonal cuts on top of each loaf. Bake at 450°F (230°C) for 25 minutes. Remove from oven. Beat egg white and water together with a fork. Brush each loaf with egg mixture. Return to oven and bake 5 minutes longer. Remove from baking sheets immediately and cool on wire racks.

Yield: 30 servings (15 slices per loaf).

Per serving: About 114 cal, 3 g pro, 23 g carb, 1 g fat, 0 mg chol, 221 mg sod.

Honey Oatmeal Bread

- 1½ cups (375 mL) water
- ½ cup (125 mL) honey
- ⅓ cup (75 mL) butter or margarine
- 5½-6½ cups (1.375-1.75 L) all-purpose flour
- 1 cup (250 mL) quick cooking oats
- 2 teaspoons (10 mL) salt
- 2 packages active dry yeast
- 2 eggs
- 1 egg white
- 1 tablespoon (15 mL) water
- Oatmeal

Place water, honey, and butter in small saucepan. Heat over low heat until mixture is very warm (120°F to 130°F [48°C to 54°C]).

Place 5 cups (1.25 L) flour, oats, salt, and yeast in mixer bowl. Attach bowl and dough hook to mixer. Turn to Speed 2 and mix about 15 seconds. Continuing on Speed 2, gradually add warm mixture to flour mixture and mix about 1 minute. Add eggs and mix about 1 minute longer.

Continuing on Speed 2, add remaining flour, ½ cup (125 mL) at a time, and mix about 2 minutes, or until dough clings to hook and cleans sides of bowl. Knead on Speed 2 about 2 minutes longer.

Place dough in greased bowl, turning to grease top. Cover. Let rise in warm place, free from draft, about 1 hour, or until doubled in bulk.

Punch dough down and divide in half. Shape each half into a loaf as directed on page 48. Place in greased 8½x4½x2½-inch (21x12x6-cm) baking pans. Cover. Let rise in warm place, free from draft, about 1 hour, or until doubled in bulk.

Beat egg white and water together with a fork. Brush tops of loaves with mixture. Sprinkle with oatmeal. Bake at 375°F (190°C) for 40 minutes. Remove from pans immediately and cool on wire racks.

Yield: 32 servings (16 slices per loaf).

Per serving: About 134 cal, 4 g pro, 24 g carb, 3 g fat, 13 mg chol, 162 mg sod.

Light Rye Bread

- ¼ *cup (50 mL) honey*
- ¼ *cup (50 mL) light molasses*
- 2 *teaspoons (10 mL) salt*
- 2 *tablespoons (30 mL) butter or margarine*
- 2 *tablespoons (30 mL) caraway seed*
- 1 *cup (250 mL) boiling water*
- 2 *packages active dry yeast*
- ¾ *cup (175 mL) warm water (105°F to 115° F [40° C to 46° C])*
- 2 *cups (500 mL) rye flour*
- 3½-4 *cups (875mL-1 L) all-purpose flour*

Place honey, molasses, salt, butter, caraway seed, and boiling water in small bowl. Stir until honey dissolves. Cool to lukewarm.

Dissolve yeast in warm water in warmed mixer bowl. Add lukewarm honey mixture, rye flour, and 1 cup (250 mL) all-purpose flour. Attach bowl and dough hook to mixer. Turn to Speed 2 and mix about 1 minute, or until well mixed. Stop and scrape bowl if necessary.

Continuing on Speed 2, add remaining all-purpose flour, ½ cup (125 mL) at a time, and mix about 2 minutes, or until dough clings to hook and cleans sides of bowl. Knead on Speed 2 about 2 minutes longer.

Place dough in greased bowl, turning to grease top. Cover. Let rise in warm place, free from draft, about 1 hour, or until doubled in bulk.

Punch dough down and divide in half. Shape each half into a round loaf. Place on two greased baking sheets. Cover. Let rise in warm place, free from draft, 45 to 60 minutes, or until doubled in bulk.

Bake at 350°F (180°C) for 30 to 45 minutes. Cover loaves with aluminum foil for last 15 minutes if tops brown too quickly. Remove from baking sheets immediately and cool on wire racks.

Yield: 32 servings (16 slices per loaf).

Per serving: About 96 cal, 2 g pro, 20 g carb, 1 g fat, 0 mg chol, 143 mg sod.

Dill Batter Bread

- *2 packages active dry yeast*
- *½ cup (125 mL) warm water (105°F to 115° F [40° C to 46° C])*
- *4 tablespoons (60 mL) honey, divided*
- *2 cups (500 mL) large curd cottage cheese*
- *2 tablespoons (30 mL) grated fresh onion*
- *4 tablespoons (60 mL) butter or margarine, softened*
- *3 tablespoons (45 mL) dill seed*
- *3 teaspoons (15 mL) salt*
- *½ teaspoon (2 mL) baking soda*
- *2 eggs*
- *1 cup (250 mL) whole wheat flour*
- *3-3½ cups (750-875 mL) all-purpose flour*

Dissolve yeast in warm water in warmed mixer bowl. Add 1 tablespoon (15 mL) honey and let stand 5 minutes.

Add cottage cheese, remaining 3 tablespoons (45 mL) honey, onion, butter, dill seed, salt, and soda. Attach bowl and flat beater to mixer. Turn to Stir Speed and mix about 30 seconds. Add eggs. Continuing on Stir Speed, mix about 15 seconds.

Add whole wheat flour and 2 cups (500 mL) all-purpose flour. Turn to Speed 2 and mix about 2 minutes, or until combined. Continuing on Speed 2, add remaining flour, a little at a time, and mix until dough forms a stiff batter. Stop and scrape bowl, if necessary. Continuing on Speed 2, mix about 2 minutes longer.

Cover. Let rise in warm place, free from draft, about 1 hour, or until doubled in bulk.

Stir dough down. Place in two well-greased 8½x4½x2½-inch (21x12x6-cm) baking pans or two well-greased 1½- to 2-quart (1.4 to 1.8 L) casseroles. Cover. Let rise in warm place, free from draft, about 45 minutes, or until doubled in bulk.

Bake at 350°F (180°C) for 40 to 50 minutes. Remove from pans immediately and cool on wire racks.

Yield: 32 servings (16 slices per loaf).

Per serving: About 98 cal, 4 g pro, 15 g carb, 3 g fat, 15 mg chol, 298 mg sod.

Vegetable Cheese Bread

- 2 *packages active dry yeast*
- 1 *cup (250 mL) warm water (105°F to 115° F [40° C to 46° C])*
- 2 *cups (500 mL) whole wheat flour*
- 3-3½ *cups (750-875 mL) all-purpose flour*
- 2 *tablespoons (30 mL) sugar*
- 2 *teaspoons (10 mL) salt*
- 2 *tablespoons (30 mL) butter or margarine*
- 1 *cup (250 mL) warm low-fat milk (105° F to 115° F [40° C to 46° C])*
- ¼ *cup (50 mL) chopped sun-dried tomatoes*
- 2 *teaspoons (10 mL) instant minced onion*
- 2 *teaspoons (10 mL) dried parsley leaves*
- ½ *cup (125 mL) shredded sharp Cheddar cheese*

Dissolve yeast in warm water in small bowl. Set aside.

Combine whole wheat flour, 2 cups (500 mL) all-purpose flour, sugar, and salt in mixer bowl. Attach bowl and dough hook to mixer. Turn to Speed 2 and mix about 30 seconds. Continuing on Speed 2, gradually add yeast mixture, butter, and warm milk to flour mixture and mix about 1½ minutes. Stop and scrape bowl. Add tomatoes, onion, parsley, and cheese. Turn to Speed 2 and mix about 30 seconds. Continuing on Speed 2, add remaining flour, ½ cup (125 mL) at a time and mix about 2 minutes, or until dough clings to hook and cleans sides of bowl. Knead on Speed 2 about 2 minutes longer.

Place dough in greased bowl, turning to grease top. Cover. Let rise in warm place, free from draft, about 1 hour, or until doubled in bulk.

Punch dough down and divide in half. Shape each half into a loaf as directed on page 48. Place in well-greased 8½x4½x2½-inch (21x12x6-cm) baking pans. Cover. Let rise in warm place, free from draft, 45 to 60 minutes, or until doubled in bulk.

Bake at 375°F (190°C) for 40 minutes. Remove from pans immediately and cool on wire rack.
(**Note:** Loaves may need to be released by running a knife around edges of pans.)

Yield: 32 servings (16 slices per loaf).

Per serving: About 99 cal, 3 g pro, 18 g carb, 2 g fat, 2 mg chol, 160 mg sod.

Blueberry Oat Bread

- 2 *cups (500 mL) all-purpose flour*
- 1 *cup (250 mL) rolled oats*
- 1 *cup (250 mL) sugar*
- 1½ *teaspoons (7 mL) baking powder*
- ½ *teaspoon (2 mL) baking soda*
- ¼ *teaspoon (1 mL) salt*
- ¼ *teaspoon (1 mL) all spice*
- ¾ *cup (175 mL) low-fat milk*
- ½ *cup (125 mL) butter or margarine, melted*
- 1 *tablespoon (15 mL) grated orange peel*
- 2 *eggs*
- 1¼ *cups (300 mL) fresh or frozen blueberries (not thawed)*

Combine dry ingredients in mixer bowl. Add milk, butter, orange peel, and eggs. Attach bowl and flat beater to mixer. Turn to Stir Speed and mix about 30 seconds. With spoon, gently stir in blueberries.

Spoon batter into 9x5x3-inch (23x13x7.5-cm) baking pan that has been greased on the bottom only. Bake at 350°F (180°C) for 55 to 65 minutes, or until toothpick inserted in center comes out clean. Cool in pan 10 minutes. Remove from pan and cool completely on wire rack.

Yield: 16 servings (16 slices per loaf).

Per serving: About 196 cal, 3 g pro, 31 g carb, 7 g fat, 27 mg chol, 177 mg sod.

Basic Sweet Dough

- ¾ *cup (175 mL) low-fat milk*
- ½ *cup (125 mL) sugar*
- 1¼ *teaspoons (6 mL) salt*
- ½ *cup (125 mL) butter or margarine*
- 2 *packages active dry yeast*
- ⅓ *cup (75 mL) warm water (105° F to 115° F [40° C to 46° C])*
- 3 *eggs, room temperature*
- 5½-6½ *cups (1.375-1.625 L) all-purpose flour*

Place milk, sugar, salt, and butter in small saucepan. Heat over low heat until butter melts and sugar dissolves. Cool to lukewarm.

Dissolve yeast in warm water in warmed mixer bowl. Add lukewarm milk mixture, eggs, and 5 cups (1.25 L) flour. Attach bowl and dough hook to mixer. Turn to Speed 2 and mix about 2 minutes.

Continuing on Speed 2, add remaining flour, ½ cup (125 mL) at a time, and mix about 2 minutes, or until dough clings to hook and cleans sides of bowl. Knead on Speed 2 about 2 minutes longer.

Place dough in greased bowl, turning to grease top. Cover. Let rise in warm place, free from draft, about 1 hour, or until doubled in bulk.

Punch dough down and shape as desired for rolls or coffee cakes.

Cinnamon Swirl Rounds

- 1 *cup (250 mL) firmly packed brown sugar*
- 1 *cup (250 mL) sugar*
- ½ *cup (125 mL) butter or margarine, softened*
- ¼ *cup (50 mL) all-purpose flour*
- 1½ *tablespoons (22.5 mL) cinnamon*
- ½ *cup (125 mL) chopped walnuts or pecans*
- 1 *recipe Basic Sweet Dough (see page 57)*

Place brown sugar, sugar, butter, flour, cinnamon, and walnuts in mixer bowl. Attach bowl and flat beater to mixer. Turn to Speed 2 and mix about 1 minute.

Turn dough onto lightly floured surface. Roll dough to 10x24-inch (25x60-cm) rectangle. Spread sugar-cinnamon mixture evenly on dough. Roll dough tightly from long side to form 24-inch (60-cm) roll, pinching seam together. Cut into 24 slices, 1-inch (2.5-cm) each.

Place 12 rolls each in two greased 13x9x2-inch (33x23x5-cm) baking pans. Cover. Let rise in warm place, free from draft, 45 to 60 minutes, or until doubled in bulk.

Bake at 350°F (180°C) for 20 to 25 minutes. Remove from pans immediately. Spoon **Caramel Glaze** over warm rolls.

Caramel Glaze

- ⅓ *cup (75 mL) evaporated milk*
- 2 *tablespoons (30 mL) brown sugar*
- 1½ *cups (375 mL) powdered sugar*
- 1 *teaspoon (5 mL) vanilla*

Place evaporated milk and brown sugar in small saucepan. Cook over medium heat until mixture begins to boil, stirring constantly.

Place milk mixture, powdered sugar, and vanilla in mixer bowl. Attach bowl and flat beater to mixer. Turn to Speed 4 and beat about 2 minutes, or until creamy.

Yield: 24 servings (1 roll per serving)

Per serving: About 338 cal, 6 g pro, 57 g carb, 10 g fat, 28 mg chol, 219 mg sod.

Rapid Mix Cool Rise White Bread

- 6-7 *cups (1.5-1.75 L) all-purpose flour*
- 2 *tablespoons (30 mL) sugar*
- 3½ *teaspoons (17 mL) salt*
- 3 *packages active dry yeast*
- ¼ *cup (50 mL) butter or margarine, softened*
- 2 *cups (500 mL) very warm water (120° F to 130° F [48° C to 54° C])*

Place 5½ cups (1.375 L) flour, sugar, salt, yeast, and butter in mixer bowl. Attach bowl and dough hook to mixer. Turn to Speed 2 and mix about 20 seconds. Gradually add warm water and mix about 1½ minutes longer.

Continuing on Speed 2, add remaining flour, 2 cups (500 mL) at a time, and mix about 2 minutes, or until dough clings to hook and cleans sides of bowl. Knead on Speed 2 about 2 minutes longer.

Cover dough with plastic wrap and a towel. Let rest 20 minutes.

Divide dough in half. Shape each half into a loaf as directed on page 48. Place in greased 8½x4½x2½-inch (21x12x6-cm) baking pans. Brush each loaf with oil and cover loosely with plastic wrap. Refrigerate 2 to 12 hours.

When ready to bake, uncover dough carefully. Let stand at room temperature 10 minutes. Puncture any gas bubbles which may have formed.

Bake at 400°F (200°C) for 35 to 40 minutes. Remove from pans immediately and cool on wire racks.

Yield: 32 servings (16 slices per loaf).

Per serving: About 110 cal, 3 g pro, 21 g carb, 2 g fat, 0 mg chol, 251 mg sod.

Crusty Pizza Dough

- 1 *package active dry yeast*
- 1 *cup (250 mL) warm water (105° F to 115° F [40° C to 46° C])*
- ½ *teaspoon (2 mL) salt*
- 2 *teaspoons (10 mL) olive oil*
- 2½-3½ *cups (625-875 mL) all-purpose flour*
- 1 *tablespoon (15 mL) cornmeal*

Dissolve yeast in warm water in warmed mixer bowl. Add salt, olive oil, and 2½ cups (625 mL) flour. Attach bowl and dough hook to mixer. Turn to Speed 2 and mix about 1 minute.

Continuing on Speed 2, add remaining flour, ½ cup (125 mL) at a time, and mix about 2 minutes, or until dough clings to hook and cleans sides of bowl. Knead on Speed 2 about 2 minutes longer.

Place dough in greased bowl, turning to grease top. Cover. Let rise in warm place, free from draft, about 1 hour, or until doubled in bulk. Punch dough down.

Brush 14-inch (35 cm) pizza pan with oil. Sprinkle with cornmeal. Press dough across bottom of pan, forming a collar around edge to hold toppings. Add toppings, as desired. Bake at 450°F (230°C) for 15 to 20 minutes.

Yield: 4 servings (¼ pizza per serving).

Per serving: About 373 cal, 11 g pro, 74 g carb, 3 g fat, 0 mg chol, 271 mg sod.

Banana Nut Bread

- ⅓ *cup (75 mL) shortening*
- ½ *cup (125 mL) sugar*
- 2 *eggs*
- 1¾ *cups (425 mL) all-purpose flour*
- 1 *teaspoon (5 mL) baking powder*
- ½ *teaspoon (2 mL) baking soda*
- ½ *teaspoon (2 mL) salt*
- 1 *cup (250 mL) (2 medium) mashed ripe banana*
- ½ *cup (125 mL) chopped walnuts or pecans*

Place shortening and sugar in mixer bowl. Attach bowl and flat beater to mixer. Turn to Speed 6 and beat about 1 minute. Stop and scrape bowl. Continuing on Speed 6, beat about 1 minute longer. Add eggs. Turn to Speed 4 and beat about 30 seconds. Stop and scrape bowl. Turn to Speed 6 and beat about 1½ minutes.

Combine flour, baking powder, baking soda, and salt in separate bowl. Add half of flour mixture and half of mashed banana to mixer bowl. Turn to Stir Speed and mix about 30 seconds. Add remaining flour and banana. Continuing on Stir Speed, mix about 30 seconds. Stop and scrape bowl. Add walnuts. Continuing on Stir Speed, mix about 15 seconds.

Pour mixture into greased and floured 9x5x3-inch (23x13x7.5-cm) baking pan. Bake at 350° F (180° C) for 40 to 45 minutes. Cool 5 minutes in pan. Remove from pan and cool completely on wire rack.

Yield: 16 servings (16 slices).

Per serving: About 157 cal, 3 g pro, 21 g carb, 7 g fat, 27 mg chol, 131 mg sod.

Baking Powder Biscuits

- 2 *cups (500 mL) all-purpose flour*
- 4 *teaspoons (20 mL) baking powder*
- ½ *teaspoon (2 mL) salt*
- ⅓ *cup (75 mL) shortening*
- ⅔ *cup (150 mL) low-fat milk*
- *Melted butter or margarine, if desired*

Place flour, baking powder, salt, and shortening in mixer bowl. Attach bowl and flat beater to mixer. Turn to Stir Speed and mix about 1 minute. Stop and scrape bowl. Add milk. Continuing on Stir Speed, mix until dough starts to cling to beater. Avoid overbeating.

Turn dough onto lightly floured surface and knead about 20 seconds, or until smooth. Pat or roll to ½-inch (1 cm) thickness. Cut with floured 2-inch (5 cm) biscuit cutter.

Place on greased baking sheets and brush with melted butter, if desired. Bake at 450°F (230°C) for 12 to 15 minutes. Serve immediately.

Yield: 12 servings (1 biscuit per serving).

Per serving: About 135 cal, 3 g pro, 17 g carb, 6 g fat, 1 mg chol, 183 mg sod.

Bran Muffins

- 1 *cup (250 mL) boiling water*
- 1 *cup (250 mL) wheat bran*
- 1 *cup (250 mL) firmly packed brown sugar*
- ½ *cup (125 mL) sugar*
- ½ *cup (125 mL) shortening*
- 2 *eggs*
- 2 *cups (500 mL) buttermilk*
- 1 *teaspoon (5 mL) vanilla*
- 2½ *cups (625 mL) all-purpose flour*
- 2½ *teaspoons (12 mL) baking soda*
- 1 *teaspoon (5 mL) baking powder*
- ½ *teaspoon (2 mL) salt*
- 2 *cups (500 mL) bran cereal flakes*

Pour boiling water over bran in small bowl. Set aside.

Place brown sugar, sugar, and shortening in mixer bowl. Attach bowl and flat beater to mixer. Turn to Speed 4 and beat about 1 minute. Add eggs. Turn to Speed 4 and beat about 30 seconds. Add buttermilk and vanilla. Turn to Stir Speed and mix about 30 seconds. Stop and scrape bowl.

Add flour, baking soda, baking powder, and salt. Turn to Stir Speed and mix about 30 seconds. Stop and scrape bowl. Turn to Stir Speed and mix about 30 seconds longer. Gradually turn to Speed 4 and beat about 1 minute. Add moistened bran and bran cereal flakes. Turn to Stir Speed and mix about 30 seconds, or until ingredients are combined.

Spoon batter into greased or paper-lined muffin pans. Bake at 400°F (200°C) for 20 minutes, or until toothpick inserted in center comes out clean. Remove from pans immediately. Serve warm.

Yield: 24 servings (1 muffin per serving).

Per serving: About 170 cal, 3 g pro, 29 g carb, 5 g fat,19 mg chol, 242 mg sod.

Tip: Batter can be refrigerated in tightly covered container up to 1 week.

Sour Cream Coffee Cake

- ½ *cup (125 mL) firmly packed brown sugar*
- 1½ *teaspoons (7 mL) cinnamon*
- 1 *cup (250 mL) chopped walnuts or pecans*
- 3 *cups (750 mL) all-purpose flour*
- 1½ *cups (375 mL) granulated sugar*
- 3 *teaspoons (15 mL) baking powder*
- 1 *teaspoon (5 mL) baking soda*
- ½ *teaspoon (2 mL) salt*
- 1 *cup (250 mL) butter or margarine, softened*
- 1 *cup (250 mL) reduced-fat sour cream*
- 1 *teaspoon (5 mL) vanilla*
- 3 *eggs*

Combine brown sugar, cinnamon, and walnuts in small bowl. Set aside.

Combine flour, granulated sugar, baking powder, baking soda, and salt in mixer bowl. Add butter, sour cream, and vanilla. Attach bowl and flat beater to mixer. Turn to Speed 2 and mix about 45 seconds, or until ingredients are combined. Stop and scrape bowl. Turn to Speed 4 and beat about 1½ minutes. Stop and scrape bowl.

Turn to Stir Speed and add eggs, one at a time, mixing about 15 seconds after each addition. Turn to Speed 2 and mix about 30 seconds.

Spread half of batter in greased and floured 13x9x2-inch (33x23x5-cm) baking pan or 10-inch (25-cm) tube pan. Sprinkle with half of cinnamon-sugar mixture. Spread remaining batter in pan and top with remaining cinnamon-sugar mixture. Bake at 350°F (180°C) for 40 to 50 minutes (13x9x2-inch [33x23x5-cm] pan) or 50 to 60 minutes (10-inch [25-cm] tube pan). Serve warm.

Yield: 16 servings.

Per serving: About 362 cal, 6 g pro, 47 g carb, 17 g fat, 44 mg chol, 349 mg sod.

Caramel Apple Kuchen

- 1 *recipe Basic Sweet Dough (see page 57)*
- 2 *cups (500 mL) firmly packed brown sugar*
- 6 *tablespoons (90 mL) all-purpose flour*
- 2 *teaspoons (10 mL) cinnamon*
- 6 *tablespoons (90 mL) butter or margarine, softened*
- 6-8 *apples (8 cups [2 L]), peeled and thinly sliced*

Divide dough in half. Press each half into greased 13x9x2-inch (33x23x5-cm) baking pan. Gently press edges ½ inch (1 cm) up sides.

Cover. Let rise in warm place, free from draft, 45 to 60 minutes, or until doubled in bulk.

Meanwhile, place brown sugar, flour, cinnamon, and butter in mixer bowl. Attach bowl and flat beater to mixer. Turn to Speed 2 and mix about 1 minute.

Arrange apple slices over dough in each of two pans. Sprinkle evenly with brown sugar mixture. Bake at 350°F (180°C) for 35 to 45 minutes, or until golden brown and apples are tender. Serve warm.

Yield: 24 servings (12 pieces per kuchen).

Per serving: About 301 cal, 5 g pro, 54 g carb, 8 g fat, 27 mg chol, 207 mg sod.

Pancakes

- *1½ cups (375 mL) all-purpose flour*
- *2 teaspoons (10 mL) baking powder*
- *1 teaspoon (5 mL) sugar*
- *½ teaspoon (2 mL) salt*
- *½ cup (125 mL) fat-free egg substitute or 2 eggs*
- *1¼ cups (300 mL) low-fat milk*
- *3 tablespoons (45 mL) shortening, melted*

Combine flour, baking powder, sugar, and salt in mixer bowl. Add all remaining ingredients. Attach bowl and flat beater to mixer. Turn to Speed 4 and mix about 30 seconds, or until ingredients are combined. Stop and scrape bowl. Turn to Speed 4 and mix about 15 seconds, or until smooth.

Spray griddle or heavy skillet with no-stick cooking spray. Heat griddle to medium-high heat. Pour about ⅓ cup (75 mL) batter for each pancake onto griddle. Cook 1 to 2 minutes, or until bubbles form on surface and edges become dry. Turn and cook 1 to 2 minutes longer, or until golden brown on underside.

Yield: 4 servings (2 pancakes per serving).

Per serving: About 318 cal, 11 g pro, 41 g carb, 11 g fat, 6 mg chol, 490 mg sod.

Crispy Waffles

- *2 cups (500 mL) all-purpose flour*
- *3 teaspoons (15 mL) baking powder*
- *2 tablespoons (30 mL) sugar*
- *½ teaspoon (2 mL) salt*
- *2 eggs, separated*
- *1¼ cups (300 mL) low-fat milk*
- *¼ cup (50 mL) butter or margarine, melted*

Combine flour, baking powder, sugar, and salt in mixer bowl. Add egg yolks, milk, and butter. Attach bowl and flat beater to mixer. Turn to Speed 4 and mix about 30 seconds, or until ingredients are combined. Stop and scrape bowl. Continuing on Speed 4, mix about 15 seconds, or until smooth. Pour mixture into another bowl. Clean mixer bowl.

Place egg whites in mixer bowl. Attach bowl and wire whip to mixer. Turn to Speed 8 and whip until whites are stiff but not dry. Gently fold egg whites into flour mixture.

Spray waffle iron with no-stick cooking spray. Heat waffle iron. Pour about ⅓ cup (75 mL) batter for each waffle onto iron. Bake 3 to 5 minutes, or until golden brown.

Yield: 6 servings (1 waffle per serving).

Per serving: About 287 cal, 8 g pro, 39 g carb, 10 g fat, 75 mg chol, 441 mg sod.

Multi-Function Attachment Pack

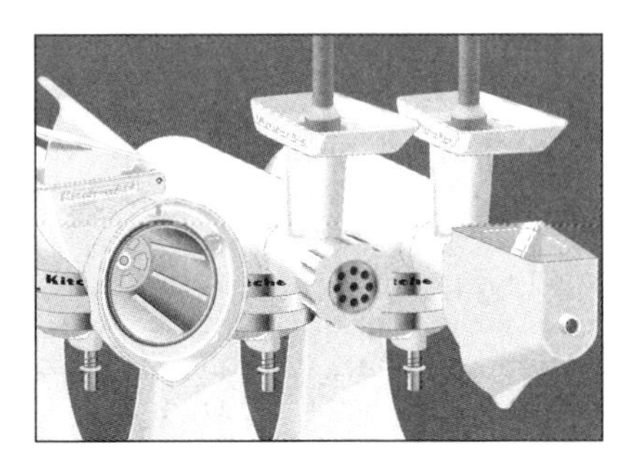

Model 4FPPA
KitchenAid has packaged its three most popular attachments in one carton. It includes a Rotor Slicer/Shredder (4RVSA), Food Grinder (4FGA), and Fruit/Vegetable Strainer Parts (4FVSP).

Food Grinder

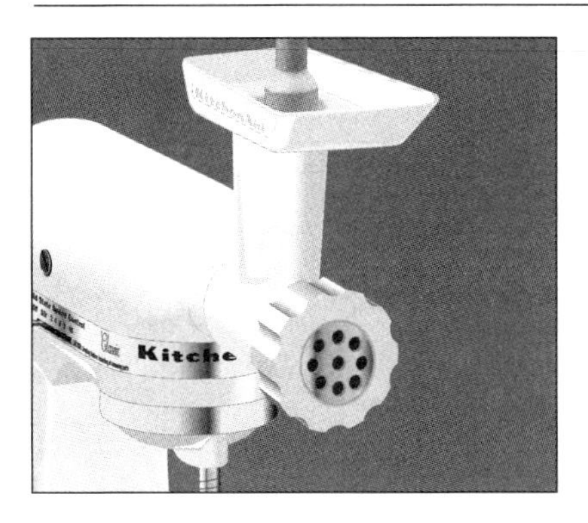

Model 4FGA
Grinds meat, firm fruits and vegetables, and dry bread.

Fruit/Vegetable Strainer

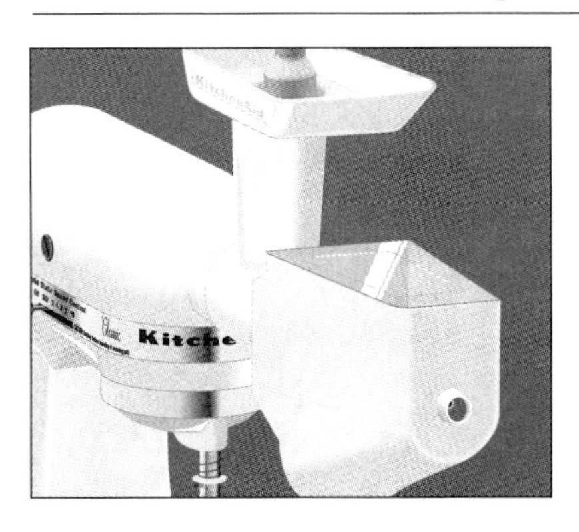

Model 4FVSFGA
Makes preparing jams, purées, sauces and baby foods quick and easy.

Food Tray

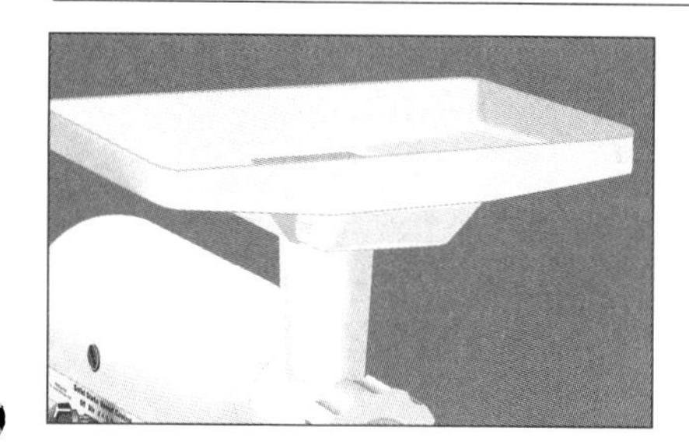

Model 4FT
Holds large quantities of food for quicker and easier juicing, puréeing and grinding. For use with 4FGA.

Sausage Stuffer

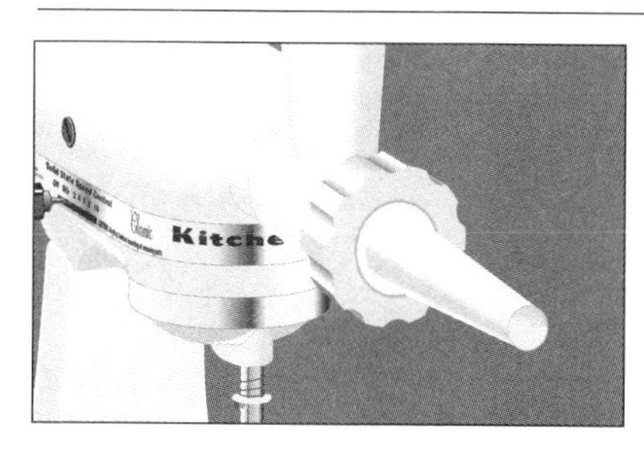

Model 4SSA
⅜" and ⅝" (10 and 16 mm) stuffing tubes make Bratwurst, Kielbasa, Italian or Polish Sausage and breakfast links. For use with 4FGA.

Rotor Slicer/Shredder

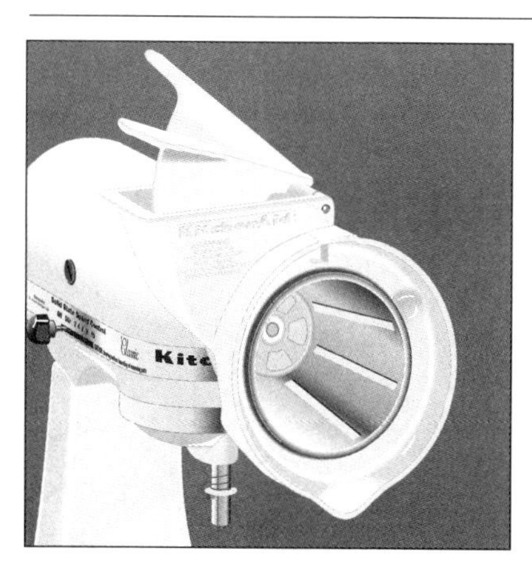

Model 4RVSA
Includes 4 cones: thin and thick slicer, fine and coarse shredder.

Grain Mill

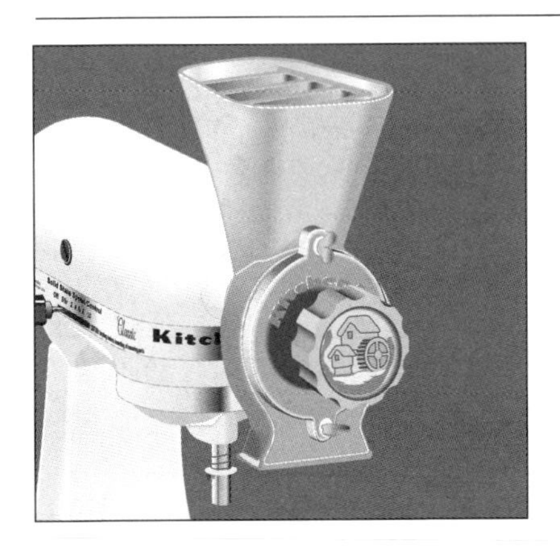

Model 4GMA
Grinds low-moisture grains from very fine to extra coarse textures.

Can Opener

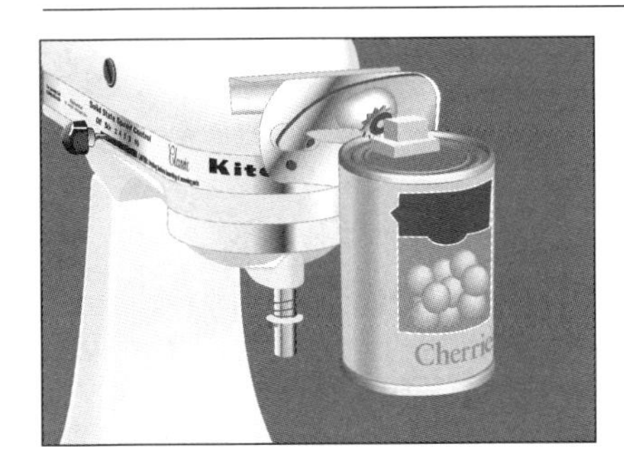

Model 4CO
Opens cans quickly, leaves edges smooth and snag-free.

Pasta Roller Set

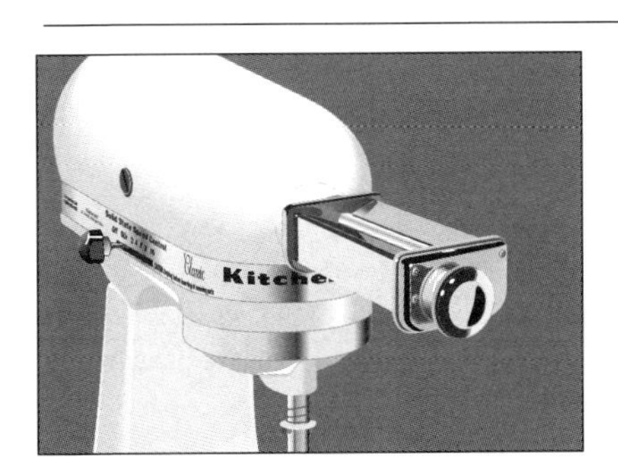

Model 4KPRA
Makes lasagna noodles, fettuccini and linguine fini. Three piece set includes Roller, Fettuccine Cutter and Linguine Fini Cutter.

Citrus Juicer

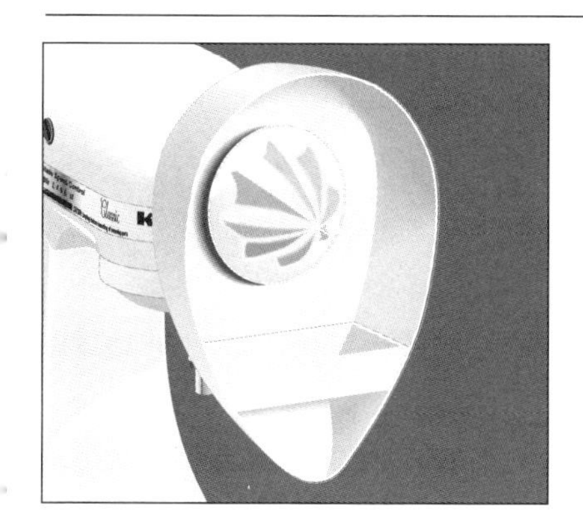

Model 4JE
Juices citrus fruits quickly and thoroughly, strains out pulp.

Pasta Maker

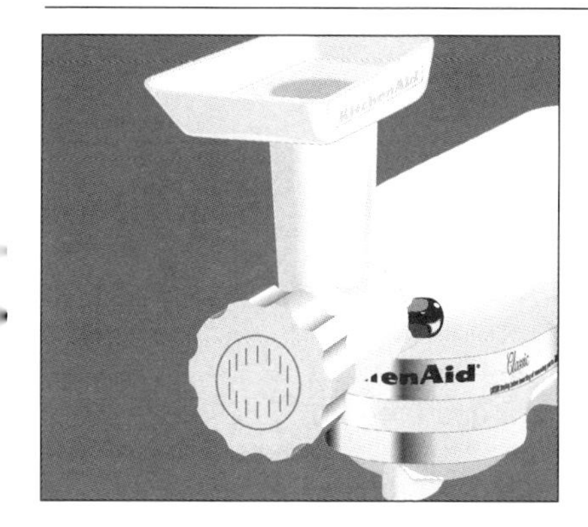

Model 4SNFGA
5 plates make thin and thick spaghetti, flat noodles, macaroni, and lasagna. Comes with 4FGA.

Water Jacket

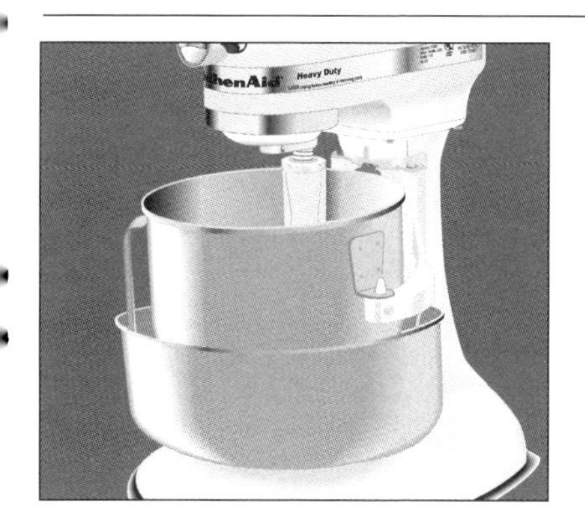

Model 4K5AWJ
Fill with ice, cold or hot water to keep cold mixtures cold, hot ones hot.

Pouring Shield

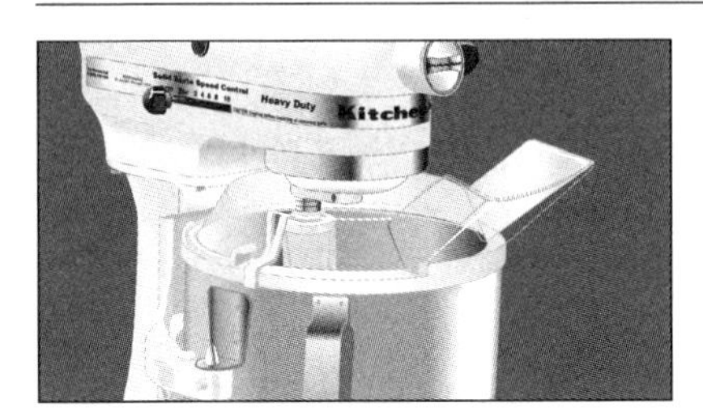

Model 4KPS2CL
Minimizes splash-out when adding ingredients.

Bowl Covers

Model 4KBC90N
(For 4½ quart mixers)

Model 4KBC5N
(For 5 quart mixers)
2 pack, non-sealing bowl covers are dishwasher-safe (top rack).

Mixer Covers

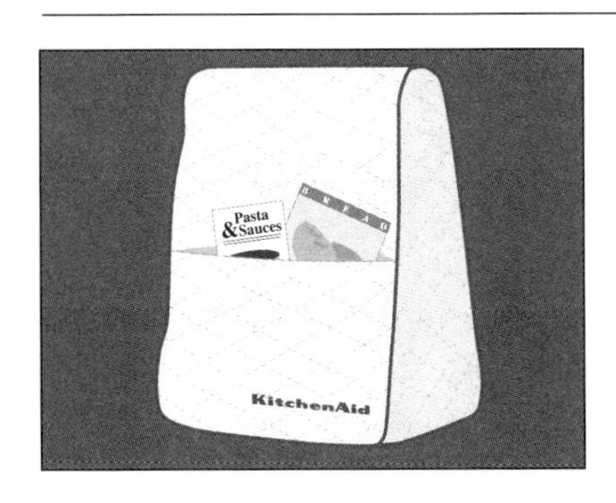

Model 4K45CR
(For 4½ quart mixers)

Model 4K5CR
(For 5 quart mixers)
To protect mixers when not in use. Made of cotton and polyester, they are machine washable.

Carte d'enregistrement de guarantie

Avant d'utiliser votre batteur, remplissez la fiche d'inscription fournie avec le manuel Directives et Recettes et postez-la. Cette carte nous permet de vous contacter dans le cas peu probable d'un avis de sécurité et nous aide à nous conformer aux directives de la législation sur la sécurité des produits de consommation. CETTE CARTE NE CONFIRME PAS VOTRE GARANTIE.

GARDEZ UNE COPIE DE LA FACTURE DE VENTE INDIQUANT LA DATE D'ACHAT DE VOTRE BATTEUR SUR SOCLE. LA PREUVE D'ACHAT EST NECESSAIRE POUR LES SERVICES DANS LE CADRE DE LA GARANTIE.

Indiquez les renseignements suivants pour votre dossier personnel :

Numéro du modèle ______________________

Date d'achat ______________________

Nom du commerçant ______________________

Adresse ______________________

Numéro de téléphone ______________________

Table des matières

CONSIGNES DE SÉCURITÉ

Lorsque vous utilisez des appareils électriques, il importe de suivre les consignes de sécurité de bases suivantes :

1. Lisez toutes les directives.
2. Pour éviter contre les risqué de choc électrique, ne mettez pas le batteur dans l'eau, ni dans tout autre liquide.
3. Il est indispensable d'exercer une surveillance étroite lors de l'emploi à proximité d'enfants de cet appareil ou de tout autre appareil électroménager.
4. Débranchez le batteur lorsque vous ne l'utilisez pas, avant de mettre ou de sortir des pièces et avant de le nettoyer.
5. Évitez tout contact avec les pièces en mouvement. Tenez les mains, cheveux, vêtements ainsi que les spatules et autres ustensiles à l'écart du batteur lorsqu'il fonctionne afin de réduire le risque de blessures ou de détériorations du batteur.
6. Ne laissez pas le batteur au bord de la surface de travail ou sans surveillance Lorsque utilisé pour des charges volumineuses ou à vitesses élevées, le mélangeur peut se déplacer sur la surface de travail.
7. N'utilisez pas le batteur si le cordon ou la fiche est endommagé ou s'il présente un défaut de fonctionnement, s'il est tombé ou s'il a été endommagé de quelque manière que ce soit. Pour de plus amples informations, appelez le centre de service autorisé KitchenAid au 1-800-461-5681.
8. L'utilisation d'accessoires non recommandés ou vendus par KitchenAid pose des risques d'incendie, de choc électrique ou des blessures.
9. N'utilisez pas le batteur à l'extérieur.
10. Ne laissez pas le cordon pendre du bord de la table ou du comptoir.
11. Enlevez le fouet plat, le fouet fin ou le crochet pétrisseur avant de laver le batteur.
12. Ce produit est conçu pour un usage domestique seulement. (Sauf le modèle 4KSMC50S qui est désigné pour un usage commercial.)

CONSERVEZ CES DIRECTIVES

Votre sécurité et celle des autres sont très importantes.

De nombreux messages de sécurité figurent dans ce manuel et sur l'appareil. Lisez toujours tous les messages de sécurité et respectez-les.

Voici le symbole d'alerte à la sécurité.

Ce symbole vous avertit des dangers potentiels pouvant causer blesser ou tuer toute personne à proximité de l'appareil.

Les messages de sécurité suivent le symbole d'alerte à la sécurité et le mot « DANGER » ou « AVERTISSEMENT ». Ces mots ont la signification suivante :

⚠DANGER — **Vous risquez d'être tué ou gravement blessé si vous ne suivez pas immédiatement les directives.**

⚠AVERTISSEMENT — **Vous risquez d'être tué ou gravement blessé si vous ne suivez pas les directives.**

Tous les messages de sécurité identifient le danger potentiel, expliquent comment réduire le risque de blessures et ce qui peut arriver si vous ne suivez pas les directives.

Spécifications électriques

Volts : 120 V c.a. seulement.
Hertz : 60
La consommation d'électricité mesurée en watts pour votre batteur est imprimé sur le jonc ou sur la plaque de série.

Modèle 4KSMC50S seulement :

350	Watts
120	Volts
3.0	Ampères
2/5	Chevaux-vapeur
60	Hertz

⚠AVERTISSEMENT

Risque de choc électrique

Branchez l'appareil dans une prise de courant 3 broches à contact de mise à la terre.

N'enlevez pas la broche de mise à la terre.

N'utilisez pas d'adaptateur.

N'utilisez pas de rallonge électrique.

La non-conformité à ces directives peut entraîner la mort, un incendie ou un choc électrique.

*Caractéristiques du batteur sur socle à élévateur de bol

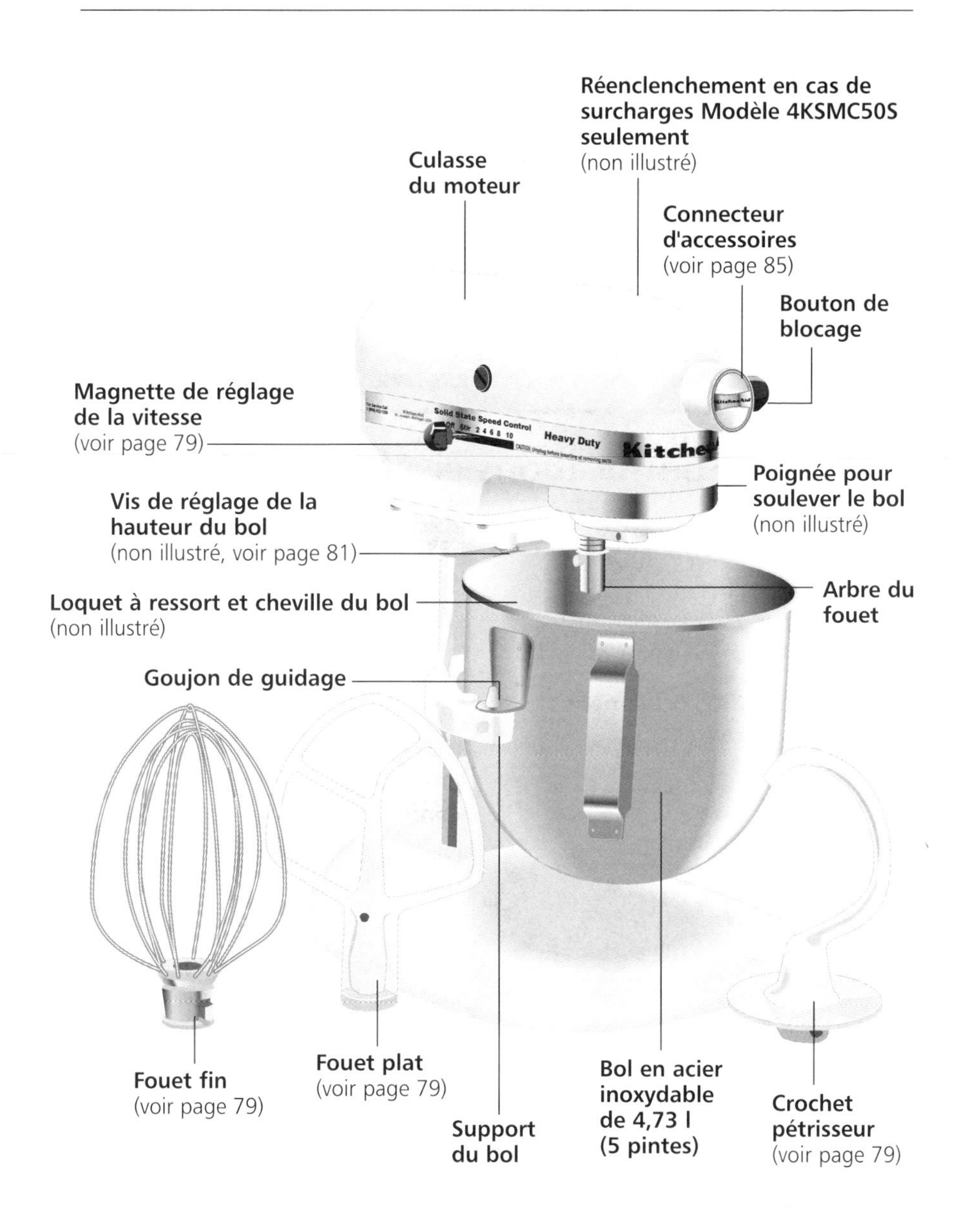

***Les modèle élévateur de bol incluent 4K5SS, 4KSM5, 4KSM50P, 4KSMC50S**
Les modèles commerciaux ne sont pas illustrés.

Assemblage de votre batteur

Pour fixer le bol

1. Assurez-vous que magnette de réglage de la vitesse est à la position OFF et que le batteur est débranché.
2. Abaissez la poignée du bol
3. Placez les supports du bol sur les ergots d'alignement.
4. Appuyez sur la partie arrière du bol jusqu'à ce que les ergots s'enclenchent dans les loquets à ressort.
5. Levez le bol avant de mélanger
6. Branchez le batteur dans une prise à trois broches mise à la terre.**

Pour retirer le bol

1. Assurez-vous que magnette de réglage de la vitesse est à la position OFF et que le batteur est débranché.
2. Abaissez la poignée du bol.
3. Retirez le fouet plat, le fouet fin, ou le crochet pétrisseur.
4. Saisissez la poignée du bol, levez le bol en le tenant droit et retirez-le des ergots d'alignement.

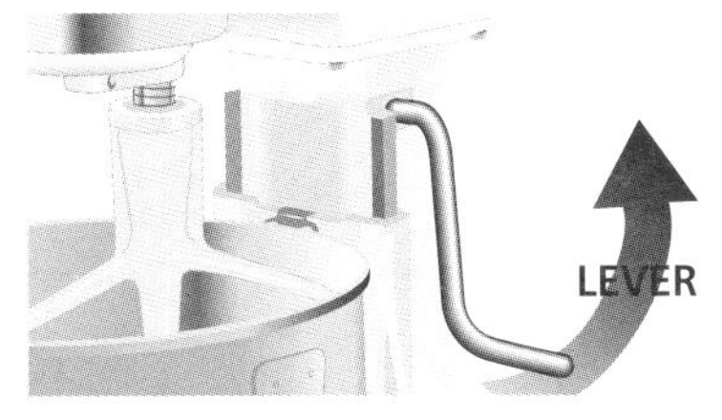

Pour lever le bol

1. Tournez la poignée de façon à ce qu'elle soit droite.
2. Le bol doit toujours être soulevé et verrouillé durant le mélange.

Pour abaisser le bol

1. Tournez la poignée vers l'arrière et le bas.

⚠ AVERTISSEMENT

Risque de blessure

Débranchez le batteur avant d'insérer ou de retirer les fouets.

Débranchez le batteur avant de le nettoyer.

Ne pas suivre ces directives peut se traduire par des os brisés ou des coupures.

Pour fixer le fouet plat, le fouet fin, ou le crochet pétrisseur

1. Faites glisser magnette de réglage de la vitesse à la position OFF puis débranchez le batteur.
2. Glissez le fouet plat sur l'arbre du fouet et enfoncez-le le plus loin possible en poussant vers le haut.

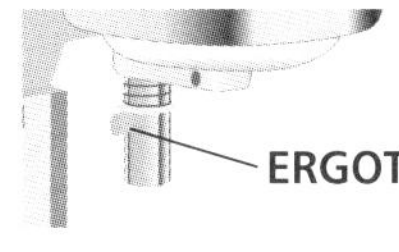

3. Tournez le fouet vers la droite, en accrochant le fouet sur l'ergot situé sur l'arbre.
4. Branchez le batteur dans une prise à trois broches mise à la terre.**

Pour enlever le fouet plat, le fouet fin, ou le crochet pétrisseur

1. Faites glisser magnette de réglage de la vitesse à la position OFF, puis débranchez le batteur
2. Poussez le fouet vers le haut, le plus loin possible, puis tournez-le pour le décrocher
3. Retirez le fouet de l'arbre.
4. Branchez le batteur dans une prise à trois broches mise à la terre.**

** Voir page 73.

Batteur domestique Réglage de la VITESSE

Branchez le batteur dans une prise à trois broches mise à la terre.** Le réglage de vitesse doit toujours être au plus bas pour le démarrage, puis augmenté progressivement à la vitesse supérieure recherchée afin d'éviter les éclaboussures des ingrédients hors du bol. Reportez-vous aux pages 79, 82 pour consulter le Guide de réglage de la vitesse.

Réenclenchement en cas de surcharges

Modèle 4KSMC50S seulement

Si le batteur cesse de fonctionner en raison d'une surcharge, le réenclenchement en cas de surcharges se déclanchera automatiquement et le batteur s'éteindra. Réglez la vitesse à la position OFF. Attendez quelques minutes, puis réenclenchez magnette de remise en marche. Augmentez progressivement à la vitesse supérieure recherchée et continuez le mélange.

** Voir page 73.

*Caractéristiques du modèle de batteur-sur socle à tête inclinable

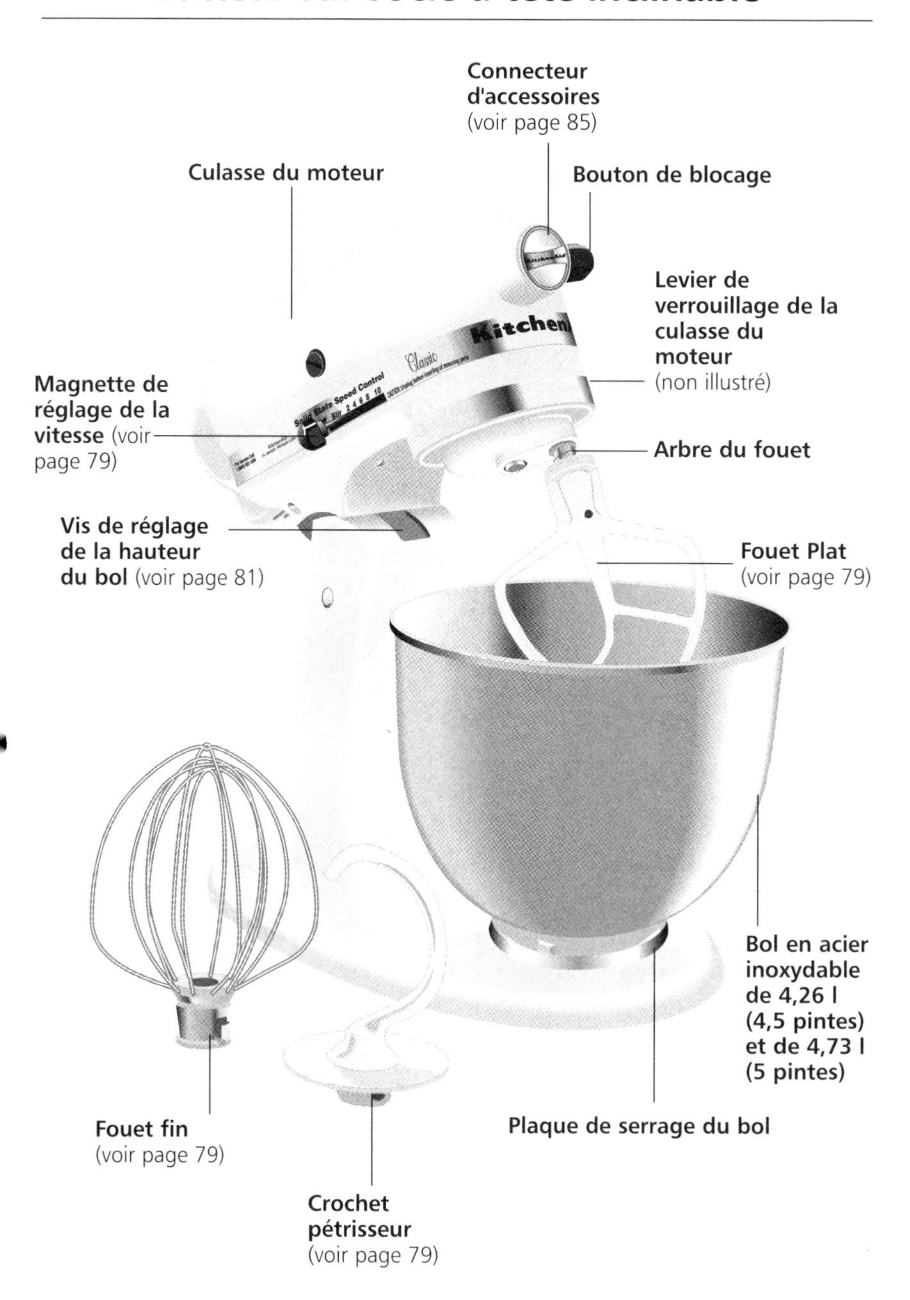

***Les modèles de 4,26 l (4,5 pintes) incluent 4K45, 4KSM90, 4KSM110PS**
***Le modèle de 4,73 l (5 pintes) est 4KSM150**

Assemblage de votre batteur à tête inclinable

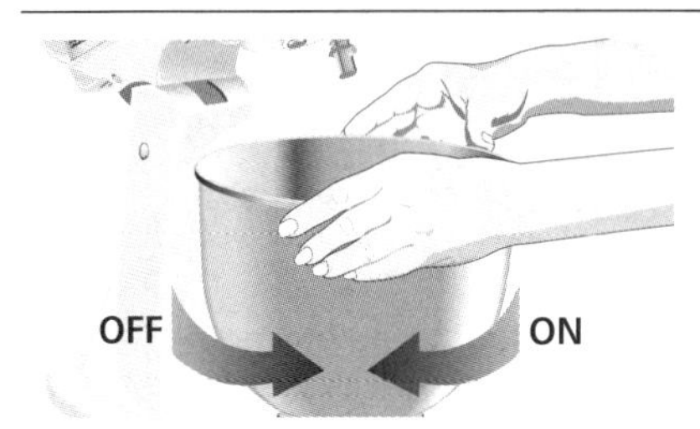

Pour fixer le bol

1. Assurez-vous que magnette de réglage de la vitesse est à la position OFF et que le batteur est débranché.
2. Relevez la culasse du moteur.
3. Placez le bol sur les plaques de serrage du bol.
4. Tournez délicatement le bol dans le sens des aiguilles d'une montre.
5. Branchez le batteur dans une prise à trois broches mise à la terre.**

Pour retirer le bol

1. Assurez-vous que magnette de réglage de la vitesse est à la position OFF et que le batteur est débranché.
2. Relevez la culasse du moteur.
3. Tournez le bol dans le sens inverse des aiguilles d'une montre.

⚠ AVERTISSEMENT

Risque de blessure

Débranchez le batteur avant d'insérer ou de retirer les fouets.

Débranchez le batteur avant de le nettoyer.

Ne pas suivre ces directives peut se traduire par des os brisés ou des coupures.

Pour fixer le fouet plat, le fouet fin, ou le crochet pétrisseur

1. Faites glisser magnette de réglage de la vitesse à la position OFF et débranchez.
2. Soulevez la culasse du moteur.
3. Glissez le fouet plat sur l'arbre du fouet et enfoncez-le le plus loin possible en poussant vers le haut.
4. Tournez le fouet vers la droite, en accrochant le fouet sur l'ergot situé sur l'arbre.
5. Branchez le batteur dans une prise à trois broches mise à la terre.**

Pour enlever le fouet plat, le fouet fin, ou le crochet pétrisseur

1. Faites glisser magnette de réglage de la vitesse à la position OFF et débranchez.
2. Poussez le fouet vers le haut, le plus loin possible, puis tournez-le vers la gauche pour le décrocher.

ERGOT

3. Retirez le fouet de l'arbre
4. Branchez le batteur dans une prise à trois broches mise à la terre.**

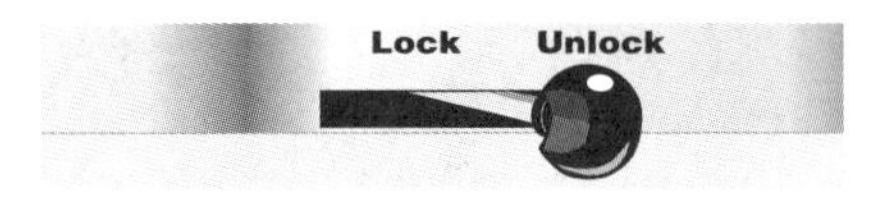

Pour verrouiller la culasse du moteur

1. Assurez-vous que la culasse du moteur est complètement abaissée.
2. Placez le levier de verrouillage en position VERROUILLAGE.
3. Avant le mélange, éprouvez le loquet en essayant de soulever la culasse.

** Voir page 73.

Pour déverrouiller la culasse du moteur

1. Placez le levier en position DÉVERROUILLAGE.

REMARQUE : Lors de l'utilisation du batteur, la culasse du moteur doit être gardée en tout temps en position VERROUILLAGE.

Pour opérer le réglage de la vitesse

Branchez le batteur dans une prise à trois broches mise à la terre.** Le réglage de vitesse doit toujours être au plus bas pour le démarrage, puis augmentez progressivement à la vitesse supérieure recherchée afin d'éviter les éclaboussures des ingrédients hors du bol. Reportez-vous à la page 80 pour consulter le Guide de réglage de la vitesse.

Utilisation des accessoires KitchenAid®

Fouet plat pour préparations standard à épaisses :

gâteaux
glaçages à la crème
bonbons
biscuits
pâte à tarte
biscuits
pains éclairs
pains de viande
pommes de terre en purée

Fouet fin pour les préparations auxquelles il faut incorporer de l'air :

œufs
blancs d'œufs
crème épaisse
glaçages bouillis
gâteaux éponge
gâteaux des anges
mayonnaise
certains bonbons

Crochet pétrisseur pour mélanger et pétrir des pâtes à levure :

pains
petits pains mollets
brioches
petits pains au lait

** Voir page 73.

Durée de mélange

Le batteur KitchenAid® mélange plus rapidement et plus homogène que la plupart des autres batteurs électriques. Par conséquent, la durée de mélange indiquée dans la plupart des recettes doit être ajustée pour éviter un fouettement excessif. Par exemple, dans le cas des gâteaux, la durée de fouettement peut être 2 fois plus courte que celle requise pour les autres batteurs.

Utilisation du batteur

REMARQUE : Ne raclez pas le bol lorsque le batteur est en fonctionnement.

Le bol et le fouet sont conçus pour assurer une homogénéité du mélange sans raclage fréquent. Il suffit habituellement de racler le bol une ou deux fois durant le mélange. Éteignez l'appareil avant de racler.

Le batteur peut s'échauffer lorsqu'il fonctionne. Dans le cas de charges importantes et d'une durée de mélange prolongée, il est possible que vous ne puissiez pas toucher confortablement le dessus de l'appareil. C'est normal.

Entretien et nettoyage

⚠ AVERTISSEMENT

Risque de blessure

Débranchez le batteur avant d'insérer ou de retirer les fouets.

Débranchez le batteur avant de le nettoyer.

Ne pas suivre ces directives peut se traduire par des os brisés ou des coupures.

Le bol, le fouet plat blanc et le crochet pétrisseur blanc peuvent passer au lave-vaisselle automatique. Vous pouvez aussi les nettoyer soigneusement à l'eau savonneuse chaude puis les rincer complètement avant de les faire sécher.

Le fouet fin, le crochet pétrisseur poli et le fouet plat poli doivent être lavés à la main, puis séchés immédiatement. Ne passez pas le fouet fin, le crochet pétrisseur poli et le fouet plat poli au lave-vaisselle. Ne stockez pas les fouets sur l'arbre.

REMARQUE : Assurez-vous toujours de débrancher le batteur avant de le nettoyer Essuyez le batteur à l'aide d'un chiffon humide doux. N'utilisez pas de produits d'entretiens ménagers ou commerciaux N'immergez pas l'appareil dans l'eau Essuyez fréquemment l'arbre du fouet pour enlever tout résidu pouvant s'accumuler.

Jeu entre le fouet et le bol

Votre batteur est réglé en usine de manière à ce que le jeu entre le fouet plat et le fond du bol soit minimal. Si pour quelle que raison que ce soit le fouet plat heurte le fond du bol ou que l'espace entre le fouet et le fond du bol est trop important, le jeu peut être corrigé de la façon suivante :

Modèle à tête inclinable

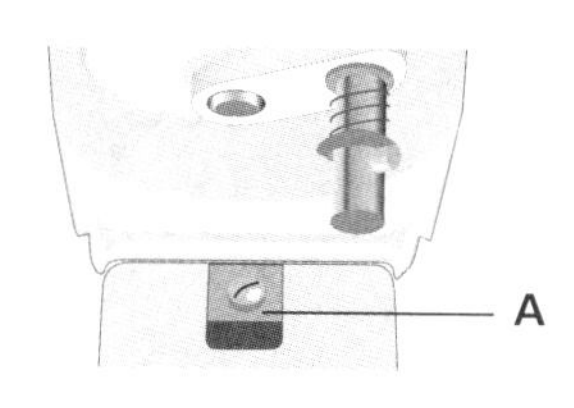

- Débranchez le batteur.
- Soulever la culasse du moteur.
- Tournez la vis (A) LÉGÈREMENT dans le sens contraire des aiguilles d'une montre (gauche) pour monter le fouet plat ou dans le sens des aiguilles d'une montre (droit) pour le baisser.
- Réglez le fouet plat de façon à dégager tout juste la surface du bol.

Si vous réglez excessivement la vis, la manette de verrouillage du bol risque de ne pas se bloquer en place.

Modèles à élévateur de bol

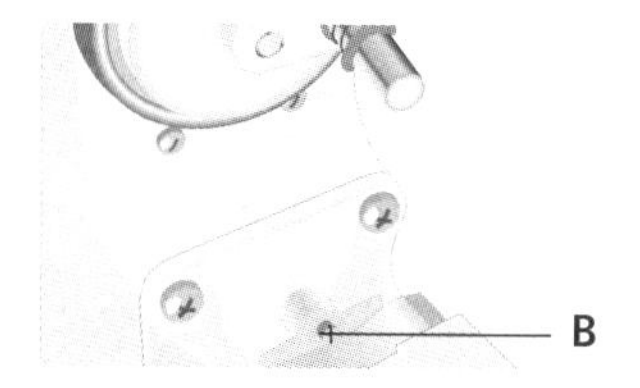

- Débranchez le batteur.
- Placez le levier du bol en position abaissée.
- Tournez la vis (B) LÉGÈREMENT dans le sens contraire des aiguilles d'une montre (gauche) pour monter le fouet plat et dans le sens des aiguilles d'une montre (droit) pour le baisser.
- Réglez le fouet plat de façon à dégager tout juste la surface du bol.

REMARQUE : Réglé adéquatement, le fouet plat ne heurtera ni le fond ni les parois du bol. Si le fouet plat ou le fouet fin est mal réglé (trop près du fond) et qu'il heurte le fond du bol, le revêtement du fouet plat peut disparaître ou les fils métalliques du fouet fin peuvent percer par usure.

Guide de Réglage de la Vitesse – Batteurs à 10 Vitesses

Nombre de vitesses		
Agiter Vitesse	**BRASSAGE**	Pour un brassage, un mélange, un empâtage, ou un démarrage de toutes les procédures de mélange. Utilisez cette vitesse pour ajouter de la farine et des ingrédients secs, pour écraser, ajouter des ingrédients liquides à sec, et combiner les mélanges épais.
2	**MÉLANGE LENT**	Pour le mélange lent, l'empâtage et le brassage rapide. Utilisez cette vitesse pour mélanger les pâtes épaisses et les bonbons, commencer à presser en purée des pommes de terre et d'autres légumes, incorporer la matière grasse à la farine, mélanger les pâtes claires ou qui éclaboussent et mélanger et pétrir la pâte à levure. Utilisez avec l'ouvre-boîte.
4	**MÉLANGE, BATTAGE**	Pour mélanger les pâtes semi-épaisses comme des biscuits. Utilisez cette vitesse pour travailler le sucre et la matière grasse et ajouter le sucre aux blancs d'œufs pour les meringues. Vitesse moyenne pour les mélanges à gâteaux. Utilisez avec : Broyeur d'aliments, dis positif rotatif à trancher/déchiqueter et tamis à fruits/légumes.
6	**BATTAGE, CRÉMAGE**	Pour un battage à vitesse moyenne élevée (crémage) ou fouettage. Utilisez pour finir de mélanger la pâte à gâteau, la pâte à beignets et autres pâtes. Vitesse élevée pour les mélanges à gâteaux. Utilisez avec le presse-agrumes.
8	**BATTAGE RAPIDE, FOUETTAGE**	Pour fouetter la crème, les blancs d'œufs glaçages bouillis.
10	**FOUETTAGE RAPIDE**	Pour fouetter de petites quantités de crème ou de blancs d'œufs. Utilisez avec l'accessoire pour fabriquer les pâtes et le moulin à grains. **REMARQUE :** La vitesse élevée ne sera pas maintenue dans le cas de charges importantes comme c'est le cas lorsque l'accessoire pour fabriquer les pâtes ou le moulin à grains est utilisé.

REMARQUE : Le levier de contrôle de vitesse peut être réglé entre les vitesses indiquées dans le tableau ci-dessus pour obtenir les vitesses 3, 5, 7 et 9 si un réglage plus précis est nécessaire. N'excédez pas la 2e vitesse lorsque vous préparez des pâtes à levure, car cela peut endommager le batteur.

Conseils de mélange

Adaptez votre recette au batteur

Les directives de mélange pour les recettes, figurant dans ce manuel, peuvent vous guider dans l'adaptation de vos recettes favorites, pour la préparation, au batteur KitchenAid®. Cherchez des recettes similaires aux vôtres, puis adaptez-les pour suivre les méthodes mentionnées dans les recettes similaires de KitchenAid.

Par exemple, la méthode « mélange rapide » (quelquefois appelée méthode « versage ») convient parfaitement pour les gâteaux simples comme le Gâteau jaune rapide ou le Gâteau blanc facile dont les recettes figurent dans le présent manuel Cette méthode demande de travailler les ingrédients secs avec tous, ou presque tous, les ingrédients liquides en une seule étape.

Les gâteaux plus élaborés comme la Tourte à la banane aux noix et au caramel doivent être préparés à l'aide de la méthode de mélange traditionnelle. Cette méthode vous permet de bien mélanger (crémer) le sucre et la matière grasse, le beurre ou la margarine avant l'ajout d'autres ingrédients.

Pour tous les gâteaux, la durée de mélange peut différer parce que le batteur KitchenAid® travaille plus rapidement que les autres batteurs. En générale, le mélange d'une pâte à gâteau avec le batteur KitchenAid® prendra deux fois moins de temps que la durée indiquée dans la plupart des recettes à gâteaux.

Pour trouver la durée de mélange idéale, observez la pâte ou la préparation et mélangez seulement jusqu'à obtenir l'apparence recherchée décrite dans votre recette, par exemple une apparence « lisse et crémeuse »

Pour sélectionner la vitesse de mélange idéale, consultez le Guide de réglage de la vitesse aux pages 82 et 84.

Ajout des ingrédients

Ajoutez toujours les ingrédients aussi près que possible des parois du bol et non directement dans la zone du fouet en mouvement. Vous pouvez utiliser l'écran anti-projection pour simplifier l'ajout des ingrédients.

REMARQUE : Si les ingrédients qui se trouvent dans le fond du bol ne sont pas bien mélangés, cela signifie que le fouet n'est pas suffisamment près du fond du bol. Consultez la section « Jeu entre le fouet et le bol » à la page 81.

Mélanges à gâteaux

Lorsque vous préparez des mélanges à gâteaux du commerce, utilisez la 2e vitesse comme vitesse basse, la 4e vitesse comme vitesse moyenne et la 6e vitesse comme vitesse élevée. Pour obtenir de meilleurs résultats, mélangez la pâte selon le temps indiqué sur l'emballage.

Ajout de noix, de raisins ou de fruits confits

Suivez chaque recette pour connaître les directives sur l'ajout de ces ingrédients. En général, les matières solides doivent être incorporées au cours des dernières secondes de mélange à la vitesse d'agitation La pâte doit être suffisamment épaisse pour que les fruits ou les noix ne tombent pas au fond du moule durant la cuisson. Les fruits collants doivent être saupoudrés de farine afin qu'ils soient mieux répartis dans la pâte.

Mélanges liquides

Les mélanges renfermant de grandes quantités d'ingrédients liquides doivent être mélangés à basse vitesse pour éviter les éclaboussures. Augmentez la vitesse seulement lorsque le mélange a épaissi.

Blancs d'œufs

Placez les blancs d'œufs à température ambiante dans un bol sec et propre Fixez le bol et le fouet fin. Pour éviter les éclaboussures, tournez graduellement magnette à la vitesse désignée et fouettez jusqu'à obtenir l'effet désiré. Consultez le tableau ci-dessous.

QUANTITÉ	VITESSE
1 blanc d'œuf	GRADUELLEMENT à 10
2-4 blancs d'œufs	GRADUELLEMENT à 8
6 blancs d'œufs ou plus	GRADUELLEMENT à 8

Étapes de fouettage

Les blancs d'œufs sont fouettés rapidement grâce au batteur KitchenAid®. Soyez donc très attentif pour éviter tout fouettage excessif. Cette liste vous indique à quoi vous attendre.

Mousseux

Grosses bulles d'air inégales.

Commence à garder sa forme

Les bulles d'air sont petites et compactes ; le produit est blanc.

Pointe souple

Les pointes tombent lorsque le fouet est enlevé

Presque ferme

Des pointes bien nettes se forment lorsque le fouet est enlevé, mais les blancs d'œufs sont souples.

Ferme sans être sec

Des pointes fermes et nettes se forment lorsque le fouet est enlevé. Les blancs d'œufs présentent une couleur et une brillance uniformes.

Ferme et sec

Des pointes fermes et nettes se forment lorsque le fouet est enlevé. Les blancs d'œufs présentent une apparence tachetée et matte.

Crème fouettée

Versez la crème à fouetter froide dans un bol refroidi. Fixez le bol et le fouet fin au batteur. Pour éviter les éclaboussures, tournez progressivement magnette à la vitesse désignée et fouettez jusqu'à obtenir l'état désiré. Consultez le tableau ci-dessous.

QUANTITÉ	VITESSE
50 ml (¼ tasse)	GRADUELLEMENT à 10
125 ml (½ tasse)	GRADUELLEMENT à 10
250 ml (1 tasse)	GRADUELLEMENT à 8
500 ml (2 tasse)	GRADUELLEMENT à 8

Étapes de fouettage

Surveillez la crème de près durant le fouettage. Le batteur KitchenAid® fouette si rapidement que seules quelques secondes séparent les étapes de fouettage. Regardez si les caractéristiques suivantes sont présentes :

Commence à épaissir

La crème est épaisse et ressemble à une crème anglaise.

Garde sa forme

La crème forme des pointes souples lorsque le fouet fin est enlevé. Dans le cas des desserts et des sauces, la crème peut être incorporée à d'autres ingrédients.

Ferme

La crème présente des pointes nettes et fermes lorsque le fouet fin est enlevé. Utilisez la crème pour napper des gâteaux ou d'autres desserts ou pour fourrer des choux à la crème.

Accessoires

(Accessoires non-approuvé NSF pour 4KSMC50S)

Renseignements généraux

Les accessoires KitchenAid® sont conçus pour assurer une longue vie. L'arbre de commande d'accessoires et la douille de prise d'accessoires sont carrés afin d'éliminer toute possibilité de glissement durant la transmission de puissance à l'accessoire. Les logements de la prise d'accessoires et de l'arbre sont effilés afin d'assurer un ajustement serré même après une utilisation et une usure prolongées. Les accessoires KitchenAid® ne requièrent aucune unité de puissance supplémentaire pour les faire fonctionner, car l'unité est intégrée.

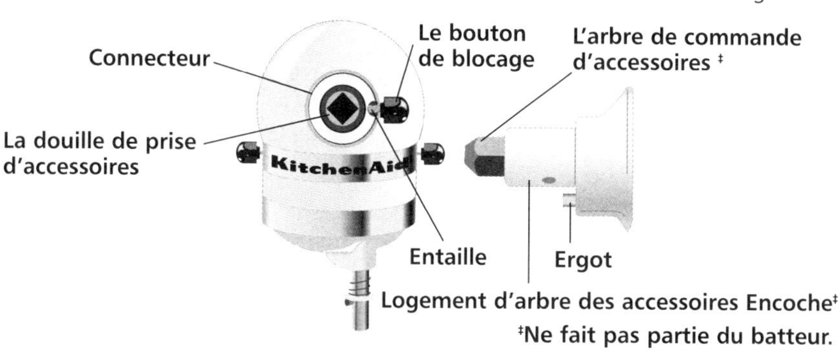

Directives générales

Pour fixer

1. Arrêtez le batteur et débranchez-le.
2. Desserrez magnette d'accessoires en le tournant dans le sens contraire des aiguilles d'une montre.
3. Enlevez le couvercle de la prise d'accessoires.
4. Insérez le logement d'arbre des accessoires dans la prise d'accessoires. Assurez-vous que l'arbre de commande d'accessoires s'emboîte dans la douille carrée de la prise d'accessoires. Il peut être nécessaire de faire tourner l'accessoire d'avant en arrière. Lorsque l'accessoire est bien placé, l'ergot situé sur l'accessoire s'emboîte dans l'encoche sur le rebord de la prise
5. Serrez magnette d'accessoires en le tournant dans le sens des aiguilles d'une montre jusqu'à ce que l'accessoire soit complètement assujetti au batteur.
6. Branchez l'appareil dans une prise de courant 3 broches à contact de mise à laterre.**

Pour enlever

1. Arrêtez le batteur et débranchez-le.
2. Desserrez magnette d'accessoires en le tournant dans le sens contraire des aiguilles d'une montre. Tournez légèrement l'accessoire d'avant en arrière au moment de le retirer.
3. Replacez le couvercle de la prise d'accessoires. Serrez magnette d'accessoires en le tournant dans le sens des aiguilles d'une montre.

** Voir page 73.

*Guide de réglage de la vitesse – batteur-sur socle à tête inclinable

Nombre de vitesses

Agiter Vitesse	**BRASSAGE**	Pour un brassage, un mélange, un empâtage, ou un démarrage de toutes les procédures de mélange.
1	**MÉLANGE LENT**	Pour le mélange lent, l'empâtage et pétrir la pâte à levure.
2	**MÉLANGE, BATTAGE**	Pour mélanger les pâtes à biscuits et à gâteaux
3	**BATTAGE, CRÉMAGE**	Pour un battage, crémage et fouettage à vitesse moyenne élevée.
4	**BATTAGE RAPIDE, FOUETTAGE**	Pour fouetter la crème épaisse, les blancs d'œufs et des glaçages bouillis.
5	**FOUETTAGE RAPIDE**	Pour le fouettage des petites quantités de crème épaisse ou de blancs d'œufs.

N'excédez pas la première vitesse lorsque vous préparez des pâtes à levure, car cela peut endommager le batteur

*Modèle commercial 4KSMC50S

Garantie du batteur KitchenAid®

Durée de la garantie :	KitchenAid assumera les coûts pour ce qui suit :	KitchenAid n'assumera pas les coûts pour ce qui suit :
Garantie complète d'un an à partir de la date d'achat.	Les pièces de rechange et les coûts de la main d'œuvre de réparation pour corriger les défauts de matériaux et de fabrication. Le service doit être assuré par un centre de service KitchenAid désigné.	A. Les réparations si le batteur n'est pas utilisé dans le cadre normal d'une utilisation domestique pour une famille. B. Les dégâts résultent des causes suivantes : accident, altération, mauvaise utilisation ou abus, feu, inondation, catastrophes naturelles ou utilisation des produits non approuvée par KitchenAid Canada. C. Les frais accessoires (expédition ou manutention) liés à la livraison de votre batteur à un centre de service KitchenAid désigné. D. Les pièces de rechange ou les frais de main d'œuvre de réparation si le batteur est utilisé à l'extérieur du Canada.

KITCHENAID CANADA NE SE CONSIDÈRE PAS RESPONSABLE DES DOMMAGES FORTUITS OU CIRCONSTANCIELS. Certaines provinces n'autorisent pas l'exclusion ni la restriction des dommages fortuits ou circonstanciels, cette exclusion peut donc ne pas s'appliquer dans votre cas. Cette garantie vous donne des droits légaux particuliers. Il est possible que vous ayez d'autres droits qui varient d'une province à l'autre.

Dispositions à prendre pour un entretien et une réparation sous garantie - Canada

Examinez d'abord la section Dépannage, ce qui peut peut-être vous éviter d'avoir besoin d'un entretien ou d'une réparation.

Une garantie complète d'un an à partir de la date d'achat sur les pièces de rechange et les coûts de main d'œuvre de réparation pour corriger les défauts de matériaux et de fabrication. L'entretien ou la réparation doit être assuré par un centre d'entretien et de réparation KitchenAid désigné.

Apportez le batteur à un centre d'entretien et de réparation KitchenAid désigné ou expédiez-le au centre (port payé et assurance). Une fois réparé, le batteur vous sera retourné (port payé et assurance).

S'il vous est impossible d'obtenir une réparation ou un entretien satisfaisants de cette façon, contactez KitchenAid Canada aux coordonnées suivantes : 1901 Minnesota Court, Mississauga, Ontario L5N 3A7. Téléphone : 1-800-807-6777.

Dispositions à prendre pour un entretien et une réparation hors garantie

- Examinez d'abord la section Dépannage suivante.
- Puis, cherchez un centre d'entretien et de réparation KitchenAid désigné près de chez vous dans votre annuaire téléphonique. Si aucun centre n'est listé dans l'annuaire, où que vous soyez au Canada, appelez le service a la clientèle KitchenAid Canada au numéro suivant : 1-800-807-6777.
- Apportez le batteur à un centre d'entretien et de réparation KitchenAid désigné ou expédiez-le au centre (port payé et assurance). Une fois réparé, le batteur vous sera retourné (port payé et assurance).
- L'entretien et la réparation hors garantie doivent être traités par un centre d'entretien et de réparation KitchenAid désigné.

Dépannage

⚠ AVERTISSEMENT

Risque d'électrocution
Débranchez le batteur avant d'effectuer le dépannage.
Ne pas suivre ces directives peut causer la mort ou une électrocution.

Essayez d'abord les solutions suggérées dans le présent manuel, ce qui pourrait vous éviter le coût du dépannage.

Si le batteur fonctionne mal ou pas du tout, vérifiez les points suivants :

- Le batteur est-il branché?
- Le fusible du circuit relié au batteur est-il en état de marche? Si vous avez un disjoncteur, assurez-vous que le circuit est fermé.
- Débranchez le batteur et attendez 15 à 20 minutes avant de le rebrancher.
- Si le problème ne résulte pas d'un des points susmentionnés, consultez la section « Mesures à prendre pour l'entretien et la réparation ».
- NE retournez PAS le batteur au détaillant, car il n'assure pas l'entretien ni la réparation.
- Pour obtenir de l'aide au Canada, composez le numéro sans frais du Centre d'aide à la clientèle KitchenAid, entre 8h30 et 17h30 (EST) : 1-800-461-5681.
  Ou contactez-nous par écrit à :
  Centre de relations aux consommateurs
  KitchenAid Canada
  1901 Minnesota Court
  Mississauga, ON L5N 3A7

Trempette à la chair de crabe

1 paquet (250 g [8 oz]) de fromage à la crème allégé
250 ml (1 tasse) de cottage réduit en matières grasses
50 ml (¼ tasse) de mayonnaise à calories réduites
1 boîte (195 g [6½ oz]) de chair de crabe, déchiquetée
15 ml (1 c. à thé) de jus de citron
45 ml (3 c. à thé) d'oignons verts hachés
2 ml (½ c. à thé) de sel à l'ail
3 gouttes de sauce au piment fort

Placez le fromage à la crème, le cottage et la mayonnaise dans le bol du batteur. Fixez le bol et le fouet à lame plate au batteur. Réglez à la vitesse 6 et battez 1 minute environ ou jusqu'à ce qu'un mélange homogène soit obtenu. Arrêtez le batteur et raclez le bol. Ajoutez tous les ingrédients restants. Réglez à la vitesse 6 et battez 1 minute environ ou jusqu'à ce que tous les ingrédients soient mélangés.

Réfrigérez jusqu'à ce que le mélange soit bien froid. Servez avec un assortiment de biscuits salés ou de crudités

Donne : 24 portions (25 ml [2 c. à soupe] par portion).

Par portion : Environ 42 cal, 4 g protéine, 1 g glucide, 3 g matières grasses, 12 mg cholestérol, 180 mg sodium.

Trempette crémeuse à l'ananas pour les fruits

120 g (4 oz) de fromage à la crème allégé
125 ml (½ tasse) de crème de guimauve
1 boîte (250 g [8 oz]) d'ananas broyés, bien égouttés
10 ml (2 c. à thé) de zeste d'orange râpé

Placez le fromage à la crème dans le bol du batteur. Fixez le bol et le fouet à lame plate au batteur Réglez à la vitesse 2 et mélangez pendant environ 30 secondes. Arrêtez le batteur et raclez le bol. Ajoutez la crème de guimauve, les ananas et le zeste d'orange. Réglez à la vitesse 4 et battez pendant environ 30 secondes. Arrêtez le batteur et raclez le bol. Réglez à la vitesse 4 et battez pendant environ 30 secondes. Réfrigérez au moins 2 heures. Servez avec des fruits frais en tranches, si vous le souhaitez.

Donne : 12 portions (25 ml [2 c. à soupe] par portion).

Par portion : Environ 61 cal, 1 g protéine, 11 g glucide, 2 g matières grasses, 3 mg cholestérol, 58 mg sodium.

Trempette mexicaine en couches

- *1 paquet (250 g [8 oz]) de fromage à la crème allégé*
- *125 ml (½ tasse) de fromage Monterey Jack au piment fort râpé*
- *50 ml (¼ tasse) de trempette aux haricots ou aux haricots noirs*
- *125 ml (½ tasse) de salsa épaisse avec des morceaux*
- *125 ml (½ tasse) d'oignons verts hachés*
- *50 ml (¼ tasse) d'olives mûres dénoyautées coupées en rondelles*

Placez le fromage à la crème dans le bol du batteur. Fixez le bol et le fouet à lame plate au batteur. Réglez à la vitesse 2 et mélangez pendant environ 30 secondes. Arrêtez le batteur et raclez le bol. Ajoutez du fromage Monterey Jack. Réglez à la vitesse 2 et mélangez pendant environ 30 secondes.

Étalez le mélange de fromage sur un plat de 25 cm (10 pouces) jusqu'à 2,5 ou 5 cm (1 ou 2 pouces) du bord. Étalez la trempette aux haricots sur le fromage. Étalez la salsa sur la trempette aux haricots. Puis recouvrez d'oignons et d'olives. Réfrigérez jusqu'au moment de servir. Servez avec des chips tortilla, si vous voulez.

Donne : 12 portions (50 ml [¼ tasse] par portion).

Par portion : Environ 70 cal, 4 g protéine, 3 g glucide, 5 g matières grasses, 12 mg cholestérol, 265 mg sodium.

Boule de fromage aux noix

- *250 ml (1 tasse) de fromage Cheddar piquant râpé*
- *250 ml (1 tasse) de suisse râpé*
- *1 paquet (250 g [8 oz]) de fromage à la crème allégé*
- *30 ml (2 c. à soupe) de ciboulette fraîche hachée*
- *10 ml (2 c. à thé) de sauce Worcestershire*
- *1 ml (¼ c. à thé) de paprika*
- *2 ml (½ c. à thé) d'ail en poudre*
- *50 ml (¼ tasse) de noix de pacane finement hachées*

Mettez tous les ingrédients, sauf les noix de pacane, dans le bol du batteur. Fixez le bol et le fouet à lame plate au batteur. Réglez à la vitesse 4 et battez 1 minute environ ou jusqu'à ce qu'un mélange homogène soit obtenu.

Sur du papier paraffiné, formez une boule avec le mélange. Roulez la boule sur les noix de pacane hachées. Enveloppez dans du papier paraffiné Réfrigérez jusqu'au moment de servir. Servez avec un assortiment de biscuits salés ou de crudités.

Donne : 24 portions (30 ml [2 c. à soupe] par portion).

Par portion : Environ 65 cal, 4 g protéine, 1 g glucide, 5 g matières grasses, 13 mg cholestérol, 109 mg sodium.

Crostini aux épinards et au fromage

- *1 baguette, coupée en tranches de 1,25 cm (½ pouce)*
- *10 ml (2 c. à thé) de beurre ou margarine*
- *125 ml (½ tasse) d'oignons finement hachés*
- *1 gousse d'ail, hachée finement*
- *1 paquet (270 g [9 oz]) d'épinards hachés surgelés, décongelés et essorés*
- *1 paquet (250 g [8 oz]) de fromage à la crème allégé*
- *50 ml (¼ tasse) de piments forts rouges torréfiés*
- *125 ml (½ tasse) de fromage Cheddar râpé*

Placez les tranches de baguette sur une plaque à pâtisserie. Faites cuire au four à 190°C (375°F) pendant 4 à 6 minutes ou jusqu'à ce que ce soit grillé. Mettez de côté.

Faites fondre le beurre dans une poêle de 25 cm (10 pouces) à feu moyen. Ajoutez l'ail et l'oignon. Faites cuire et brassez 2 à 3 minutes ou jusqu'à ce que la préparation soit ramollie. Ajoutez les épinards. Faites cuire et brassez 30 à 60 secondes ou jusqu'à ce que la préparation soit chaude. Laissez refroidir légèrement.

Placez le fromage à la crème dans le bol du batteur. Fixez le bol et le fouet à lame plate au batteur. Réglez à la vitesse 2 et mélangez pendant environ 30 secondes. Ajoutez le mélange d'épinards. Continuez à la vitesse 2, mélangez pendant environ 30 secondes. Ajoutez les piments forts rouges. Continuez à la vitesse 2, mélangez pendant environ 30 secondes. Étalez le mélange d'épinards sur les tranches de baguette grillées. Recouvrez chaque tranche d'une c. à thé (5 ml) de fromage Cheddar. Faites cuire au four à 190°C (375°F) pendant 5 à 8 minutes ou jusqu'à ce que ce soit complètement chauffé et que le fromage soit fondu. Servez chaud.

Donne : 12 portions (2 crostinis par portion).

Par portion : Environ 141 cal, 6 g protéine, 16 g glucide, 6 g matières grasses, 12 mg cholestérol, 324 mg sodium.

Boulettes de viande mexicaines

50 ml (¼ de tasse) de substitut d'oeufs sans gras ou un oeuf
75 ml (⅓ de tasse) de chapelure fraîche
2 ml (½ c. à thé) de poudre de chili
1 ml (¼ de c. à thé) de poudre d'ail
0.5 mL (⅛ de c. à thé) de poivre de cayenne
500 g (1 livre) de dinde hachée
125 ml (½ tasse) de salsa épaisse avec des morceaux
125 ml (½ tasse) de sauce chili
125 ml (½ tasse) d'eau

Placez le substitut d'oeuf, la chapelure, la poudre de chili, la poudre d'ail, le poivre et la dinde hachée dans le bol du batteur. Fixez le bol et le fouet à lame plate au batteur. Mettez à la Vitesse Brassage et mélangez pendant environ 30 secondes.

Formez des boulettes de 2,5 cm (1 pouce) avec le mélange de dinde. Vaporisez la poêle à frire de 30-cm (12-pouces) avec un enduit anti-adhésif pour la cuisson. Faites cuire les boulettes à feu moyen-vif jusqu'à ce qu'elles soient bien brunes, égouttez.

Mélangez la salsa, la sauce chili, et l'eau dans un petit bol. Ajoutez aux boulettes et brassez. Réduisez le feu à doux. Cuire, couvrir, environ 10 minutes, ou jusqu'à ce que les boulettes soient assez cuites, remuez fréquemment. Servez chaud.

Donne : 12 portions (3 boulettes par portion).

Par portion : Environ 84 cal, 8 g protéine, 5 g glucide, 3 g matières grasses, 30 mg cholestérol, 280 mg sodium.

Tartelettes aux champignons et aux oignons

Pâtes à tarte

120 g (4 oz) de fromage à la crème allégé

45 ml (3 c. à soupe) de beurre ou margarine, séparées

180 ml (¾ tasse) plus 5 ml (1 c. à thé) de farine tout-usage

250 ml (8 oz) de champignons frais, grossièrement hachés

125 ml (½ tasse) d'oignons verts hachés

Garniture

1 oeuf

1 ml (¼ c. à thé) de feuilles de thym séchées

125 ml (½ tasse) de fromage Suisse râpé

Pour faire les **pâtes à tarte**, placez le fromage à la crème et 25 ml (2 c. à soupe) de beurre dans le bol du batteur. Fixez le bol et le fouet à lame plate au batteur. Réglez à la vitesse 4 et battez pendant environ 1 minute. Arrêtez le batteur et raclez le bol. Ajoutez 175 ml (¾ tasse) de farine. Réglez à la vitesse 2 et battez 1 minute environ ou jusqu'à ce qu'un mélange homogène soit obtenu. Formez une boule avec le mélange. Enveloppez de papier paraffiné et laissez refroidir 1 heure. Nettoyez le bol du batteur et le fouet.

Pour faire la **garniture**, faites fondre les 5 ml (1c. à soupe) restants de beurre dans une poêle de 25 cm (10 pouces) sur feu moyen. Ajoutez les champignons et les oignons. Faites cuire et brassez jusqu'à ce qu'ils soient tendres. Retirez du feu. Laissez refroidir légèrement. Coupez la pâte refroidie en 24 morceaux. Écrasez chaque morceau dans un moule à muffins miniature (graissé, si vous préférez).

Pour la **garniture**, placez l'œuf, les 5 ml (1 c. à thé) restants de farine et le thym dans le bol du batteur. Fixez le bol et le fouet à lame plate au batteur. Réglez à la vitesse 6 et battez pendant environ 30 secondes. Incorporez le fromage et le mélange de champignons refroidi. Introduisez à la cuillère dans les moules à muffins garnis de pâte à tarte. Faites cuire au four à 190°C (375°F) pendant 15 à 20 minutes ou jusqu'à ce que le mélange d'œufs soit gonflé et doré. Servez chaud.

Donne : 12 portions (2 tartelettes par portion).

Par portion : Environ 98 cal, 4 g protéine, 8 g glucide, 6 g matières grasses, 33 mg cholestérol, 83 mg sodium.

Pommes de terre nouvelles garnies

- 8 *petites pommes rouges, bouillie avec leurs peaux*
- 50 *ml (¼ tasse) de crème sure à faible tenure en matières grasses*
- 15 *ml (1 c. à soupe) de margarine ou de beurre, fondu*
- 1 *ml (¼ c. à thé) de sel d'ail*
- 1 *ml (¼ c. à thé) de feuilles de thym séchées*
- 50 *ml (¼ tasse) d'oignons finement hachés*
- 50 *ml (¼ tasse) de fromage cheddar finement râpé*
- *Paprika, si désiré*

Coupez les pommes de terres en deux. Écopez l'intérieurs des pommes de terre, laissant des coquilles de 3 mm (⅛ de pouce). Placez l'intérieurs des pommes de terre dans le bol du batteur. Fixer le bol et le fouet plat au batteur. Réglez à la vitesse 2 et mélangez pendant environ 1 minute. Ajoutez la crème sure, la margarine, le sel d'ail et le thym. Réglez à la vitesse 2 et mélangez pendant environ 30 secondes. Arrêtez le batteur et raclez le bol. Réglez à la vitesse 2 et mélangez pendant environ 30 secondes. Mettez à la vitesse de mélange et ajouter des oignons, mélanger jusqu'à l'obtention d'un mélange homogène.

Remplissez à la cuillère ou dresser à la poche le mélange de pomme de terre à l'intérieur des coquilles de pomme de terre Placez les coquilles remplies dans un plat peu profond allant au four. Faites cuire à 190°C (375°F) pendant 20 à 25 minutes, ou jusqu'à ce que ce soit bien chaud. Saupoudrez de fromage et de paprika, si desiré. Faites cuire 5 minutes de plus, ou jusqu'à ce que le fromage soit fondu. Servez chaud.

Donne : 8 portions (2 demi-pommes de terre par portion).

Par portion : Environ 58 calories, 2 g protéine, 6 g glucide, 3 g matières grasses, 5 mg cholestérol, 108 mg sodium.

Croquette de patate douce

2 patates douces moyennes, cuites et épluchées
125 ml (½ tasse) de lait à basse teneur en matières grasses
75 ml (⅓ tasse) de sucre
2 oeufs
30 ml (2 c. à soupe) de beurre ou margarine
2 ml (½ c. à thé) de muscade
2 ml (½ c. à thé) de cannelle

Nappage praline croquant

30 ml (2 c. à soupe) de beurre ou margarine, fondu
175 ml (¾ tasse) de flocons de maïs
50 ml (¼ tasse) de noix ou de noix de pacane hachés
50 ml (¼ tasse) de sucre brun fermement tassé

Placez les patates dans le bol du batteur. Fixez le bol et le fouet à lame plate au batteur. Réglez à la vitesse 2 et mélangez pendant environ 30 secondes. Ajoutez le lait, le sucre, les œufs, 30 ml (2 c. à soupe) de beurre, la muscade et la cannelle. Réglez à la vitesse 4 et battez pendant environ 1 minute. Étalez le mélange dans un plat à tarte graissé de 23 cm (9 pouces). Faites cuire au four à 200°C (400°F) pendant 20 minutes, ou jusqu'à ce que ce soit pris. Nettoyez le bol du batteur et le fouet.

Placez tous les ingrédients du **nappage** dans le bol du batteur. Fixez le bol et le fouet à lame plate au batteur. Réglez à la vitesse d'agitation et mélangez environ 15 secondes. Étalez sur la croquette très chaude. Faites cuire au four 10 minutes de plus.

Donne : 6 portions (125 ml [½ tasse] par portion).

Par portion : Environ 268 cal, 6 g protéine, 35 g glucide, 12 g matières grasses, 2 mg cholestérol, 176 mg sodium.

Purée de pommes de terre

5 grosses pommes de terre (environ 1250 g [2 ½ lb]),. épluchées, coupées en quartiers et bouillies

125 ml (½ tasse) de lait à basse teneur en matières grasses, chauffé

30 ml (2 c. à soupe) de beurre ou margarine

5 ml (1 c. à thé) de sel

½ ml (⅛ c. à thé) de poivre noir

Chauffez le bol du batteur et le fouet à lame plate à l'eau chaude; séchez. Mettez les pommes de terre chaudes dans le bol. Fixez le bol et le fouet à lame plate au batteur. Réglez progressivement à la vitesse 2 et battez 1 minute environ ou jusqu'à ce qu'un mélange lisse soit obtenu.

Ajoutez tous les ingrédients restants. Réglez à la vitesse 4 et battez 30 secondes environ ou jusqu'à ce que le lait soit absorbé. Réglez progressivement à la vitesse 6 et battez 1 minute environ ou jusqu'à ce qu'un mélange velouté soit obtenu. Arrêtez le batteur et raclez le bol. Changez le fouet à lame plate pour le fouet fin. Réglez à la vitesse 10 et fouettez pendant 2 à 3 minutes.

Donne : 9 portions (175 ml [¾ tasse] par portion).

Par portion : Environ 111 cal, 2 g protéine, 19 g glucide, 3 g matières grasses, 8 mg cholestérol, 296 mg sodium.

VARIATIONS

Purée de pommes de terre à l'ail

Substituez 5 ml (1 c. à thé) de sel à l'ail au sel

Par portion : Environ 111 cal, 2 g protéine, 19 g glucide, 3 g matières grasses, 8 mg cholestérol, 239 mg sodium.

Purée de pommes de terre au parmesan

Augmentez le lait à 175 ml (¾ de tasse). Ajoutez 75 ml (⅓ de tasse) de parmesan parmesan râpé avec du lait.

Par portion : Environ 205 cal, 6 g protéine, 32 g glucide, 6 g de matières grasses, 7 mg cholestérol, 524 mg sodium.

Purée de pommes de terre à la crème sure et à la ciboulette

Substituez 50 ml (¼ tasse) crème sure à faible teneur en matières grasses pour 50 ml (¼ tasse) de lait. Ajoutez 30 ml (2 c. à soupe de ciboulette hachées fraiche.

Par portion : Environ 178 cal, 4 g protéine, 32 g glucide, 4 g matières grasses, 2 mg cholestérol, 417 mg sodium.

Purée de courge fouettée aux herbes

- 1 *grosse courge musquée, cuite au four (environ 750 ml [3 tasses] de courge cuite)*
- 50 *ml (¼ tasse) de beurre ou margarine, fondu*
- 2 *ml (½ c. à thé) de feuilles d'estragon séchées*
- ½ *ml (⅛ c. à thé) de sel*
- ½ *ml (⅛ c. à thé) de poivre noir*

Sortez à la cuillère la courge de sa coquille et mettez dans le bol du batteur. Fixez le bol et le fouet fin au batteur. Réglez à la vitesse 4 et battez pendant environ 30 secondes. Ajoutez tous les ingrédients restants. Réglez à la vitesse 2 et mélangez pendant environ 30 secondes. Réglez à la vitesse 4 et battez pendant environ 2 minutes.

Donne : 6 portions (125 ml [½ tasse] par portion).

Par portion : Environ 107 cal, 1 g protéine, 11 g glucide, 7 g matières grasses, 0 mg cholestérol, 137 mg sodium.

Fricassée de Haricots Noirs

- 500 *ml (2 tasses) de substitut d'oeufs sans matière grasse ou 8 oeufs*
- 50 *ml (¼ tasse) de lait à faible teneur en matières grasses*
- 15 *ml (1 c. à soupe) d'huile*
- ½ *poivron rouge de taille moyenne haché*
- 4 *oignons, tranchés*
- 500 *g (1 boite de 16 oz) d'haricots noirs, rincés et égouttés*
- 250 *ml (1 tasse) de fomage Monterey Jack rapé*

Placez le substitut d'oeufs et le lait dans le bol du batteur. Fixer le bol et le fouet fin au batteur. Réglez à la vitesse 2 et mélangez pendant 30 secondes. Mettez de côté.

Chauffez l'huile dans le grand poèlon à feu moyen jusqu'à ce que l'huile grésille. Ajoutez le piment et les oignons. Faites cuire pendant environ une minute ou jusqu'à ce que ce soit légèrement tendre. Incorporez les haricots. Faites cuire pendant environ 1 minute ou jusqu'à ce que ce soit suffisamment chaud.

Réduisez le feu à moyen-doux. Versez le mélange d'oeufs au-dessus des légumes. Faites cuire environ 6 minutes, ou jusqu'à ce que ce soit presque prêt. Comme le fond du mélange d'oeufs se positionne, soulevez soigneusement les bords avec la spatule et laissez l'oeuf cru descendre au fond de la casserole. Faites cuire, couvert, environ 2 minutes, ou jusqu'à ce que le dessus soit positionné mais encore brillant. Saupoudrez de fromage. Faites cuire, couvert, environ 1 minute, ou jusqu'à ce que le fromage fonde.

Donne : 6 portions.

Par portion : Environ 208 calories, 18 g protéine, 15 g glucide, 8 g de matières grasses, 18 mg cholestérol, 463 mg sodium.

Truc : Pour un dessus de fricassé bruni, placez sous la rôtissoire environ 1 minute, ou jusqu'au fromage brunisse et fasse des bulles d'air.

Quiche potagère

Fond de pâtisserie cuit (voir page 124)
15 *ml (1 c. à soupe) d'huile*
1 *petit oignon, haché*
1 *poivron vert moyen, haché*
250 *g (8 oz) de champignons frais émincés*
6 *oeufs*
75 *ml (⅓ tasse) de lait à basse teneur en matières grasses*
15 *ml (1 c. à soupe) de persil frais haché*
5 *ml (1 c. à thé) de sel*
5 *gouttes de sauce au piment fort*
1 *tasse (120 g [4 oz]) de suisse à teneur réduite en matières grasses râpé*

Suivez la procédure pour un fond de pâtisserie cuit. Laissez refroidir, 10 minutes.

Pendant ce temps-là, chauffez l'huile à feu moyen-vif dans une grande poêle à revêtement antiadhésif. Ajoutez l'oignon et le poivron. Faites cuire environ 1 minute, en mélangeant fréquemment. Ajoutez les champignons. Faites cuire et mélangez environ 2 minutes ou jusqu'à ce que les légumes soient tendres. Mettez de côté.

Mettez les œufs, le lait, le persil, le sel, et la sauce au piment fort dans le bol du batteur. Fixez le bol et le fouet fin au batteur. Réglez à la vitesse 2 et mélangez pendant 1 à 2 minutes.

Saupoudrez le fond de pâtisserie de la moitié du fromage. Recouvrez des légumes. Versez le mélange d'œufs sur les légumes. Recouvrez du fromage restant. Faites cuire au four à 180°C (350°F) pendant 30 à 35 minutes ou jusqu'à ce que la lame de couteau insérée au centre en sorte propre. Laissez reposer environ 5 minutes avant de servir.

Donne : 8 portions

Par portion (garniture et pâte à tarte) :
Environ 264 cal, 12 g protéine, 17 g glucide, 16 g matières grasses, 172 mg cholestérol, 561 mg sodium.

Coquilles fourrées au Fromage

125 ml (½ tasse) de substitut d'oeufs sans matière grasse ou 2 oeufs
1 contenant de 450 g (15 oz.) de fromage ricotta sans matière grasse
500 ml (2 tasses) de fromage mozzarella râpé partiellement écrémé
50 mL (¼ tasse) de fromage parmesan râpé
10 ml (2 c. à thé) de feuilles de persil séchées
10 ml (2 c. à thé) d'herbes sans sel et d'assaisonement à l'ail
24 coquilles de pâtes de large format, cuites et égouttées
500 ml (2 tasses) de sauce Marinara préparée

Placez le substitut d'oeuf, le fromage ricotta, le fromage mozzarella, le fromage parmesan, le persil, et l'assaisonement dans le bol du batteur. Fixez le bol et le fouet plat au batteur. Réglez à la vitesse 2 et mélangez pendant 30 secondes, ou jusqu'à ce qu'un mélange homogène soit obtenu.

Remplissez chaque coquille de 30-45 ml (2 à 3 c. à soupe) du mélange. Placez les coquilles remplies dans un plat allant au four de 33 x 23 x 5-cm (13 x 9 x 2-pouces). Versez la sauce marinara sur les coquilles. Recouvrez le plat de feuilles d'aluminium. Faites cuire à 180°C (350°F) pendant 30 à 35 minutes, ou jusqu'à ce qu'il y ait des bulles d'air.

Donne : 4 à 6 portions.

Par portion : Environ 527 calories, 46 g protéine, 56 g glucides, 15 g matières grasses, 57 mg cholestérol, 865 mg sodium.

Gâteau jaune rapide

550 ml (2½ tasses) de farine tout-usage
325 ml (1⅓ tasse) de sucre
15 ml (3 c. à thé) de levure chimique
2 ml (½ c. à thé) de sel
125 ml (½ tasse) de shortening
250 ml (1 tasse) de lait à basse teneur en matières grasses
5 ml (1 c. à thé) de vanille
2 oeufs

Combinez les ingrédients secs dans le bol du batteur. Ajoutez le shortening, le lait et la vanille. Fixez le bol et le fouet à lame plate au batteur. Réglez à la vitesse 2 et mélangez environ 1 minute. Arrêtez le batteur et raclez le bol. Ajoutez les œufs. Réglez à la vitesse 2, et mélanger pendant environ 30 secondes. Arrêtez le batteur et raclez le bol. Réglez à la vitesse 6 et battez 1 minute environ.

Versez la préparation dans deux moules ronds graissés et saupoudrés de farine de 20 ou 23 cm (8 ou 9 pouces). Faites cuire au four à 180°C (350°F) pendant 30 à 35 minutes ou jusqu'à ce que le cure-dent inséré au centre en sorte propre. Laissez refroidir 10 minutes. Démoulez. Laissez complètement refroidir sur une grille. Recouvrez d'un glaçage si vous le désirez.

Donne : 12 à 16 portions.

Par portion : Environ 272 cal, 4 g protéine, 42 g glucide, 10 g matières grasses, 37 mg cholestérol, 175 mg sodium.

Gâteau blanc facile

500 ml (2 tasses) de farine tout-usage
375 ml (1½ tasse) de sucre
15 ml (3 c. à thé) de levure chimique
2 ml (½ c. à thé) de sel
125 ml (½ tasse) de shortening
250 ml (1 tasse) de lait à basse teneur en matières grasses
5 ml (1 c. à thé) de vanille
4 blancs d'oeufs

Combinez les ingrédients secs dans le bol du batteur. Ajoutez le shortening, le lait et la vanille. Fixez le bol et le fouet à lame plate au batteur. Réglez à la vitesse 2 et mélangez environ 1 minute. Arrêtez le batteur et raclez le bol. Ajoutez les blancs d'œufs. Réglez à la vitesse 6 et battez 1 minute environ ou jusqu'à ce qu'un mélange lisse et velouté soit obtenu.

Versez la préparation dans deux moules ronds graissés et saupoudrés de farine de 20 ou 23 cm (8 ou 9 pouces). Faites cuire au four à 180°C (350°F) pendant 30 à 35 minutes ou jusqu'à ce que le cure-dent inséré au centre en sorte propre. Laissez refroidir 10 minutes. Démoulez. Laissez complètement refroidir sur une grille. Recouvrez d'un glaçage si vous le désirez.

Donne : 12 à 16 portions.

Par portion : Environ 267 cal, 4 g protéine, 42 g glucide, 9 g matières grasses, 2 mg cholestérol, 183 mg sodium.

Tourte à la banane aux noix et au caramel

Nappage

250 ml (1 tasse) de sucre brun bien tassé
125 ml (½ tasse) de beurre ou margarine
50 ml (¼ tasse) de crème à fouetter
250 ml (1 tasse) de noix hachées

Gâteau

375 ml (1½ tasse) de sucre
125 ml (½ tasse) de beurre ou margarine, ramolli
250 ml (1 tasse) (2 moyennes) bananes mûres écrasée
5 ml (1 c. à thé) de vanille
3 œufs
625 ml (2½ tasses) de farine tout-usage
6 ml (1½ c. à thé) de levure chimique
5 ml (1 c. à thé) de bicarbonate de sodium
2 ml (½ c. à thé) de sel
175 ml (¾ tasse) de babeurre

(Suite à la page suivante)

Pour faire le **nappage**, placez le sucre brun, le beurre et la crème dans une petite casserole. Chauffez à feu doux jusqu'à ce que le beurre fonde, en remuant constamment. Versez sur les fonds de trois moules ronds de 20 ou 23 cm (8 ou 9 pouces). Saupoudrez de noix.

Pour faire le **gâteau**, mettez le sucre et le beurre dans le bol du batteur. Fixez le bol et le fouet à lame plate au batteur. Réglez à la vitesse 2 et mélangez pendant environ 30 secondes. Arrêtez le batteur et raclez le bol. Ajoutez la banane et la vanille. Continuez à la vitesse 2, mélangez pendant environ 30 secondes. Continuez à la vitesse 2 et ajoutez les œufs, un par un, en battant environ 15 secondes après chaque ajout. Arrêtez le batteur et raclez le bol.

Combinez la farine, la levure chimique, le bicarbonate de sodium et le sel dans le petit bol. Ajoutez la moitié du mélange de farine au mélange de sucre dans le bol du batteur. Réglez à la vitesse 2 et mélangez pendant environ 30 secondes. Ajoutez le babeurre et z à la vitesse 6 et battez pendant environ 30 secondes. Étalez uniformément la préparation sur le mélange aux noix dans les moules. Faites cuire au four à 180°C (350°F) pendant 25 à 30 minutes ou jusqu'à ce que le cure-dent inséré au centre en sorte propre. Laissez refroidir dans les moules pendant environ 3 minutes. Démoulez et laissez complètement refroidir sur des grilles.

Suite à la page suivante

Tourte à la banane aux noix et au caramel *SUITE*

Garniture

125 ml (½ tasse) de sucre
15 ml (3 c. à soupe) de farine tout-usage
1 ml (¼ c. à thé) de sel
250 ml (1tasse) de lait à basse teneur en matières grasses
1 œuf, battu
5 ml (1 c. à thé) de vanille
15 ml (1 c. à soupe) de beurre ou margarine
2 bananes moyennes, coupées en fines rondelles
125 ml (½ tasse) de crème à fouetter, fouettée

Pendant ce temps, pour faire la **garniture**, combinez le sucre, la farine et le sel dans une casserole moyenne. Incorporez le lait progressivement. Portez à ébullition à feu moyen en mélangeant constamment. Incorporez environ 50 ml (¼ tasse) de préparation chaude à l'œuf battu dans un bol séparé. Versez le mélange d'œuf dans la casserole. Portez à ébullition, en brassant constamment. Enlevez du feu. Incorporez la vanille et le beurre. Laissez refroidir légèrement. Réfrigérez 1 heure pendant que le gâteau refroidit.

Pour former la tourte, placez une couche de gâteau, côté avec les noix sur le dessus, sur un grand plat. Étalez la moitié de la **garniture**. Disposez la moitié des rondelles de banane sur la **garniture**. Recouvrez d'une seconde couche, côté avec les noix sur le dessus. Étalez le restant de rondelles de banane et de **garniture**. Recouvrez de la couche de gâteau restante, le côté avec les noix sur le dessus. Recouvrez la tourte de crème fouettée. Mettez au réfrigérateur.

Donne : 16 à 20 portions.

Par portion : Environ 451 cal, 7 g protéine, 65 g glucide, 19 g matières grasses, 58 mg cholestérol, 384 mg sodium.

Gâteau des anges

300 ml (1¼ tasses) de farine tout-usage
375 ml (1½ tasses) de sucre, divisé
375 ml (1½ tasses) de blancs d'oeufs (environ 12 à 15 blancs d'oeufs)
7 ml (1½ c. à thé) de crème de tartre
1 ml (¼ c. à thé) de sel
7 ml (1½ c. à thé) de vanille ou 2 ml (½ c. à thé) d'extrait d'amande

Combinez la farine et 125 ml (½ tasse) de sucre dans un petit bol. Mettez de côté.

Mettez les blancs d'œufs dans le bol du batteur. Fixez le bol et le fouet fin au batteur. Réglez progressivement à la vitesse 6 et fouettez 30 à 60 secondes ou jusqu'à ce que les blancs d'œufs soient mousseux.

Ajoutez la crème de tartre, le sel et la vanille. Réglez à la vitesse 8 et fouettez 2 à 2½ minutes ou jusqu'à ce que les blancs soient presque en neige ferme mais pas secs. Réglez à la vitesse 2. Incorporez progressivement 250 ml (1 tasse) de sucre restant et mélangez environ 1 minute. Arrêtez le batteur et raclez le bol.

Retirez le bol du batteur. Prenez à la cuillère le mélange farine-sucre, quart par quart, et mettez-le sur les blancs d'oeufs. Incorporez délicatement à la spatule, jusqu'à ce que ce soit mélangé.

Versez le mélange dans un moule à cheminée non graissé de 25 cm (10 pouces). Coupez délicatement la préparation avec un couteau pour en enlever les grosses bulles d'air. Faites cuire au four à 190°C (375°F) pendant 35 minutes ou jusqu'à ce que la croûte soit dorée et que les fissures soient très sèches. Retournez immédiatement le gâteau sur un entonnoir ou une bouteille de boisson gazeuse. Laissez refroidir complètement. Démoulez.

Donne : 16 portions.

Par portion : Environ 124 cal, 4 g protéine, 27 g glucide, 0 g matières grasses, 0 mg cholestérol, 79 mg sodium.

Quatre-quarts à l'ancienne

750 ml (3 tasses) de farine tout-usage
500 ml (2 tasses) de sucre
15 ml (3 c. à thé) de levure chimique
2 ml (½ c. à thé) de sel
500 ml (2 tasses) de beurre, ramolli
125 ml (½ tasse) de lait à basse teneur en matières grasses
5 ml (1 c. à thé) de vanille
5 ml (1 c. à thé) d'extrait d'amande
6 oeufs

Combinez les ingrédients secs dans le bol du batteur. Ajoutez le beurre, le lait, la vanille et l'extrait d'amande. Fixez le bol et le fouet à lame plate au batteur. Réglez à la vitesse d'agitation et mélangez environ 1 minute. Arrêtez le batteur et raclez le bol. Réglez à la vitesse 6 et battez pendant environ 2 minutes. Arrêtez le batteur et raclez le bol.

Réglez à la vitesse 2 et ajoutez les œufs, un par un, en mélangeant environ 15 secondes après chaque ajout. Réglez sur la vitesse 4 et battez pendant environ 30 secondes.

Versez le mélange dans un moule à cheminée graissé et saupoudré de farine de 25 cm (10 pouces). Faites cuire au four à 180°C (350ºF) pendant 1 heure et 15 minutes ou jusqu'à ce que le cure-dent inséré au centre en sorte propre. Laissez complètement refroidir sur une grille. Démoulez le gâteau.

Donne : 16 portions.

Par portion : Environ 419 cal, 5 g protéine, 44 g glucide, 25 g matières grasses, 143 mg cholestérol, 378 mg sodium.

Quatre-quarts au chocolat double

750 ml (3 tasses) de farine tout-usage
500 ml (2 tasses) de sucre
125 ml (½ tasse) de poudre de cacao solubilisée, non-sucré
15 ml (3 c. à thé) de levure chimique
2 ml (½ c. à thé) de sel
250 ml (1 tasse) de beurre, ramolli
300 ml (1¼ tasses) de lait à basse teneur en matières grasses
5 ml (1 c. à thé) de vanille
5 oeufs

Fondant au chocolat

2 carrés (30g [1 oz]) chacun) de chocolat non sucré
45 ml (3 c. à soupe) de margarine ou de beurre
250 ml (1 tasse) de sucre en poudre
3 ml (¾ c. à thé) de vanille
30 ml (2 c. à soupe) d'eau chaude

Combinez les ingrédients secs dans le bol du batteur. Ajoutez le beurre, le lait et la vanille. Fixez le bol et le fouet à lame plate au batteur. Réglez à la vitesse d'agitation et mélangez environ 1 minute. Arrêtez le batteur et raclez le bol. Réglez à la vitesse 6 et battez pendant environ 2 minutes. Arrêtez le batteur et raclez le bol.

Réglez à la vitesse 2 et ajoutez les œufs, un par un, en mélangeant environ 15 secondes après chaque ajout. Réglez sur la vitesse 4 et battez pendant environ 30 secondes.

Versez le mélange dans un moule à cheminée graissé et saupoudré de farine de 25 cm (10 pouces). Faites cuire au four à 160°C (325°F) pendant 1 heure et 20 minutes ou jusqu'à ce que le cure-dent inséré au centre en sorte propre. Laissez complètement refroidir sur une grille. Démoulez le gâteau et bruinez de **fondant au chocolat**.

Pour faire le fondant, faites fondre le chocolat et la margarine dans une petite casserole;à feux doux. Retirez du feux. Incorporez le sucre en poudre et la vanille. Incorporez l'eau, 5mL (1 cuillerée) à la fois, jusqu'à ce que le **fondant** ait la consistance désirée.

Donne : 16 portions.

Par portion : Environ 390 cal, 6 g protéine, 55 g glucide, 18 g matières grasses, 99 mg cholestérol, 289 mg sodium.

Gâteau au chocolat

- *500 ml (2 tasses) de farine tout-usage*
- *325 ml (1⅓ tasse) de sucre*
- *5 ml (1 c. à thé) de levure chimique*
- *2 ml (½ c. à thé) de bicarbonate de sodium*
- *2 ml (½ c. à thé) de sel*
- *125 ml (½ tasse) de shortening*
- *250 ml (1 tasse) de lait à basse teneur en matières grasses*
- *5 ml (1 c. à thé) de vanille*
- *2 oeufs*
- *2 carrés (30 g [1 oz] pièce) de chocolat non-sucré, fondu*

Combinez les ingrédients secs dans le bol du batteur. Ajoutez le shortening, le lait et la vanille. Fixez le bol et le fouet à lame plate au batteur. Réglez à la vitesse 2 et mélangez environ 1 minute. Arrêtez le batteur et raclez le bol. Ajoutez les œufs et le chocolat. Continuez à la vitesse 2, mélangez pendant environ 30 secondes. Arrêtez le batteur et raclez le bol. Réglez à la vitesse 6 et battez pendant environ 1 minute.

Versez la préparation dans deux moules ronds graissés et saupoudrés de farine de 20 ou 23 cm (8 ou 9 pouces). Faites cuire au four à 180°C (350°F) pendant 30 à 35 minutes ou jusqu'à ce qu'un cure-dent inséré au centre en sorte propre. Laissez refroidir 10 minutes. Démoulez. Laissez complètement refroidir sur une grille. Recouvrez d'un glaçage si vous le désirez.

Donne : 12 à 16 portions.

Par portion : Environ 285 cal, 4 g protéine, 41 g glucide, 12 g matières grasses, 37 mg cholestérol, 185 mg sodium.

Gâteau mousseline jonquille

500 ml (2 tasses) de farine tout-usage
375 ml (1½ tasse) de sucre
15 ml (1 c. à soupe) de levure chimique
2 ml (½ c. à thé) de sel
175 ml (¾ tasse) d'eau froide
125 ml (½ tasse) d'huile
7 jaunes d'œufs, battus
5 ml (1 c. à thé) de vanille
10 ml (2 c. à thé) de zeste de citron râpé
7 blancs d'œufs
2 ml (½ c. à thé) de crème de tartre

Combinez la farine, le sucre, la levure chimique et le sel dans le bol du batteur. Ajoutez l'eau, l'huile, les jaunes d'œufs, la vanille et le zeste de citron. Fixez le bol et le fouet fin au batteur. Réglez à la vitesse 4 et battez pendant environ 1 minute. Arrêtez le batteur et raclez le bol. Continuez à la vitesse 4, battez pendant environ 15 secondes. Versez la préparation dans un autre bol. Nettoyez le bol du batteur et le fouet fin.

Placez les blancs d'œufs et la crème de tartre dans le bol du batteur. Fixez le bol et le fouet fin au batteur. Réglez à la vitesse 8 et fouettez 2 à 2½ minutes ou jusqu'à ce que les blancs soient montés en neige presque ferme sans être secs.

Retirez le bol du batteur. Ajoutez progressivement le mélange de farine aux blancs d'oeufs. Incorporez délicatement à la spatule jusqu'à ce qu'une préparation homogène soit obtenue.

Versez la préparation dans un moule à cheminée non graissé de 25 cm (10 pouces). Faites cuire au four à 160°C (325°F) pendant 60 à 75 minutes ou jusqu'à ce que le dessus reprenne sa forme au toucher. Retournez immédiatement le gâteau sur un entonnoir ou une bouteille de boisson gazeuse. Laissez refroidir complètement. Démoulez. Versez en pluie fine le **fondant au citron**.

Fondant au citron

250 ml (1 tasse) de sucre en poudre
15 ml (1 c. à soupe) de beurre ou margarine, ramolli
30 à 45 ml (2-3 c. à soupe) de jus de citron

Combinez le sucre en poudre et le beurre dans un petit bol. Incorporez le jus de citron par 15 ml (c. à soupe) jusqu'à ce que le fondant ait la consistance désirée.

Donne : 16 portions.

Par portion : Environ 256 cal, 4 g protéine, 38 g glucide, 10 g matières grasses, 93 mg cholestérol, 152 mg sodium.

Gâteau au chocolat et aux amandes

Gâteau

- *7 carrés (30 g [1 oz] pièce) de chocolat mi-sucré*
- *125 ml (½ tasse) de beurre ou margarine*
- *3 œufs, jaunes et blancs séparés*
- *125 ml (½ tasse) de sucre*
- *2 ml (½ c. à thé) d'extrait d'amande*
- *30 ml (2 c. à soupe) de farine tout-usage*

Fondant

- *1 carré (30 g [1 oz]) de chocolat mi-sucré*
- *5 ml (1 c. à thé) de shortening*

Nappage

- *125 ml (½ tasse) de crème à fouetter*
- *15 ml (1 c. à soupe) de sucre en poudre*
- *1 ml (¼ c. à thé) d'extrait d'amande*
- *30 ml (2 c. à soupe) d'amandes émincées*

Pour faire le **gâteau**, faites fondre le chocolat et le beurre dans une casserole moyenne à feu doux en brassant constamment. Enlevez du feu, laissez légèrement refroidir.

Placez les blancs d'œufs dans le bol du batteur. Fixez le bol et le fouet fin au batteur. Réglez à la vitesse 8 et fouettez 1 à 2 minutes ou jusqu'à ce que des pointes fermes se forment. Mettez les blancs d'œufs dans un autre bol. Nettoyez le bol du batteur et le fouet fin.

Mettez le mélange de chocolat, le sucre et l'extrait d'amande dans le bol du batteur. Fixez le bol et le fouet à lame plate au batteur. Réglez à la vitesse 4 et battez pendant environ 1 minute. Arrêtez le batteur et raclez le bol. Continuez à la vitesse 4 et ajoutez les jaunes d'œufs, un par un, en battant environ 30 secondes après chaque ajout. Continuez à la vitesse 4, ajoutez la farine et battez pendant environ 15 secondes. Incorporez délicatement les blancs d'œufs battus à la spatule.

Versez à la cuillère la préparation dans un moule à charnière de 20-cm (8 pouces) graissé et saupoudré de farine sur le fond uniquement. Faites cuire au four à 190°C (375°F) pendant 20 à 25 minutes ou jusqu'à ce que ce soit pris au centre. Laissez complètement refroidir sur une grille avant d'enrober de fondant. Nettoyez le bol du batteur.

Pour faire le **fondant**, faites fondre le chocolat et le shortening dans une petite casserole à feu doux en brassant pour mélanger. Faîtes tomber en pluie fine sur le gâteau.

Pour faire le **nappage**, mettez la crème, le sucre en poudre et l'extrait d'amande dans le bol du batteur. Fixez le bol et le fouet fin au batteur. Réglez à la vitesse 10 et fouettez 30 à 60 secondes ou jusqu'à ce que des pointes fermes se forment. Versez à la poche ou à la cuillère la crème fouettée dans l'anneau sur le dessus du gâteau. Parsemez d'amandes. Mettez au réfrigérateur.

Donne : 16 portions.

Par portion : Environ 180 cal, 3 g protéine, 17 g glucide, 13 g matières grasses, 58 mg cholestérol, 74 mg sodium.

Gâteau aux pommes

375 ml (1½ tasse) de farine tout-usage
250 ml (1 tasse) de farine de blé complet
375 ml (11.2 tasse) de sucre
5 ml (1 c. à thé) de levure chimique
5 ml (1 c. à thé) de bicarbonate de sodium
2 ml (½ c. à thé) de sel
7 ml (1½ c. à thé) de cannelle
2 ml (½ c. à thé) de muscade
375 ml (1½ tasse) de compote de pommes
125 ml (½ tasse) de beurre ou margarine, fondu
2 oeufs
250 ml (1 tasse) de pomme épluchée, hachées
125 ml (½ tasse) de noix hachées
Glaçage à la crème au caramel, si vous le souhaitez (reportez-vous à la page 111)

Combinez les ingrédients secs dans le bol du batteur. Ajoutez la compote de pommes, le beurre et les oeufs. Fixez le bol et le fouet à lame plate au batteur. Réglez à la vitesse 2 et mélangez environ 1 minute. Arrêtez le batteur et raclez le bol. Réglez sur la vitesse 4 et battez pendant environ 30 secondes. Réglez à la vitesse d'agitation et ajoutez la pomme et les noix et mélangez jusqu'à ce qu'une préparation homogène soit obtenue.

Versez la préparation dans un moule graissé et saupoudré de farine de 33 x 23 x 5-cm (13 x 9 x 2-pouces). Faites cuire au four à 180°C (350°F) pendant 35 à 40 minutes ou jusqu'à ce qu'un cure-dent inséré au centre en sorte propre. Laissez complètement refroidir sur une grille. Recouvrez d'un glaçage à la crème au caramel, si vous le désirez.

Donne : 12 à 16 Portions.

Par portion : Environ 318 cal, 5 g protéine, 51 g glucide, 11 g matières grasses, 36 mg cholestérol, 315 mg sodium.

Gâteau aux épices

- 550 ml (2¼ tasses) de farine tout-usage
- 250 ml (1 tasse) de sucre roux bien tassé
- 125 ml (½ tasse) de sucre
- 5 ml (1 c. à thé) de bicarbonate de sodium
- 2 ml (½ c. à thé) de sel
- 5 ml(1 c. à thé) de cannelle
- 2 ml (½ c. à thé) de clous de girofle
- 2 ml (½ c. à thé) de muscade
- 250 ml (1 tasse) de babeurre
- 125 ml (½ tasse) de shortening
- 5 ml (1 c. à thé) de vanille
- 3 oeufs
- ½ ml (½ tasse) de raisins

Nappez de glaçage au fromage à la crème à l'orange, si désiré (voir page 112)

Combinez les ingrédients secs dans le bol du batteur. Ajoutez le babeurre, le shortening, la vanille et les oeufs. Fixez le bol et le fouet à lame plate au batteur. Réglez à la vitesse 2 et mélangez environ 1 minute. Arrêtez le batteur et raclez le bol. Réglez à la vitesse 4 et battez pendant environ 30 secondes. Réglez à la vitesse d'agitation et ajoutez les raisins, et mélangez jusqu'à ce qu'une préparation homogène soit obtenue.

Versez la préparation dans un moule graissé et saupoudré de farine de 33 x 23 x 5-cm (13 x 9 x 2-pouces). Faites cuire au four à 180°C (350°F) pendant 35 à 40 minutes ou jusqu'à ce qu'un cure-dent inséré au centre en sorte propre. Laissez complètement refroidir sur une grille. Recouvrez d'un glaçage à la crème à l'orange, si vous le désirez.

Donne : 12 à 16 portions.

Par portion : Environ 310 cal, 5 g protéine, 50 g glucide, 10 g matières grasses, 54 mg cholestérol, 240 mg sodium.

Glaçage au Chocolat

- 250 ml (1 tasse) de beurre, ramolli
- 130 mL (2 c. à soupe) de sirop de maïs léger
- 1 L (4 tasses) de sucre en poudre
- 2 carrés (30 g [1 oz] pièce) de chocolat non-sucré, fondu

Mettez le beurre dans le bol. Fixez le bol et le fouet à lame plate au batteur. Réglez à la vitesse 4 et fouettez environ 1½ minutes, ou jusqu'à l'obtention d'une consistance crémeuse. Arrêtez le batteur et raclez le bol. Ajoutez le sirop de maïs. Réglez à la vitesse 2 et mélangez bien. Arrêtez le batteur et raclez le bol.

Réglez à la vitesse d'agitation. Ajoutez graduellement le sucre en poudre, jusqu'à ce qu'une préparation homogène soit obtenue. Réglez à la vitesse 4 et battez environ 1 minute. Arrêtez le batteur et raclez le bol. Réglez à la vitesse 2, ajoutez lentement le chocolat fondu et mélangez environ 1½ minutes. Arrêtez le batteur et raclez le bol. Réglez à la vitesse 4 et battez pendant environ 1 minute.

Donne : 12 à 16 portions (glaçage pour un gâteau à 2 étages ou de 33 x 23 x 5-cm [13 x 9 x 2-pouces]).

Par portion : Environ 325 cal, 1 g protéine, 44 g glucide, 18 g matières grasses, 41 mg cholestérol, 160 mg sodium.

Glaçage au babeurre

75 ml (⅓ tasse) de beurre ou margarine, ramolli
50 ml (¼ tasse) de crème ou de lait évaporé
5 ml (1 c. à thé) de vanille
1 ml (¼ c. à thé) de sel
1 L (4 tasses) de sucre en poudre, séparées
Lait à teneur réduite en matières grasses, le cas échéant

Mettez le beurre dans le bol du batteur. Fixez le bol et le fouet à lame plate au batteur. Réglez à la vitesse 4 et battez 1 minute environ ou jusqu'à ce qu'un mélange crémeux soit obtenu. Arrêtez le batteur et raclez le bol. Ajoutez la crème, la vanille, le sel et 250 ml (1 tasse) de sucre en poudre. Réglez à la vitesse d'agitation et mélangez environ 30 secondes. Arrêtez le batteur et raclez le bol. Réglez à la vitesse 2 et battez 1½ minute environ ou jusqu'à ce qu'un mélange homogène soit obtenu. Arrêtez le batteur et raclez le bol.

Réglez à la vitesse d'agitation. Ajoutez progressivement les 750 ml (3 tasses) restants de sucre en poudre et mélangez jusqu'à ce qu'une préparation homogène soit obtenue. Arrêtez le batteur et raclez le bol, le cas échéant. Ajoutez du lait, 5 ml (1 c. à thé) à la fois, si nécessaire. Réglez à la vitesse 4 et battez 1 minute environ ou jusqu'à ce qu'un mélange lisse soit obtenu.

Donne : 12 à 16 portions (glaçage pour un gâteau à 2 étages ou de 33 x 23 x 5-cm [13 x 9 x 2-pouces]).

Per serving: About 208 cal, 0 g pro, 40 g carb, 6 g fat, 16 mg chol, 99 mg sod.

Glaçage à la crème au caramel

125 ml (½ tasse) de beurre ou margarine
250 ml (1 tasse) de sucre brun bien tassé
50 ml (¼ tasse) de lait à basse teneur en matières grasses
250 ml (1 tasse) de guimauves miniatures
500 ml (2 tasses) de sucre en poudre
2 ml (½ c. à thé) de vanille

Faites fondre le beurre dans une casserole moyenne. Ajoutez du sucre brun et du lait, brassez pour mélanger. Portez à ébullition. Faites cuire environ 1 minute, en mélangeant constamment. Enlevez du feu. Ajoutez les guimauves. Brassez jusqu'à ce que les guimauves soient fondues et que le mélange soit lisse.

Mettez le sucre en poudre dans le bol du batteur. Ajoutez le mélange de sucre brun et la vanille. Fixez le bol et le fouet à lame plate au batteur. Réglez à la vitesse d'agitation et mélangez environ 30 secondes. Réglez à la vitesse 4 et battez 1 minute environ ou jusqu'à ce qu'un mélange lisse et crémeux soit obtenu. Étalez sur le gâteau chaud.

Donne : 12 à 16 portions (glaçage pour un gâteau à 2 étages ou de 33 x 23 x 5-cm [13 x 9 x 2-pouces]).

Par portion : Environ 228 cal, 0 g protéine, 41 g glucide, 7 g matières grasses, 0 mg cholestérol, 98 mg sodium.

Glaçage velouté KitchenAid

375 ml (1½ tasses) de sucre
2 ml (½ c. à thé) de crème de tartre
2 ml (½ c. à thé) de sel
125 ml (½ tasse) d'eau
20 ml (11.2 c. à soupe) de sirop de maïs allégé
2 blancs d'œufs.
7 ml (1½ c. à thé) de vanille

Mettez le sucre, la crème de tartre, le sel, l'eau et le sirop de maïs dans la casserole. Chauffez à feu moyen et brassez jusqu'à ce que le sucre soit complètement dissous et forme un sirop.

Mettez les blancs d'œufs dans le bol du batteur. Fixez le bol et le fouet fin au batteur. Réglez à la vitesse 10 et fouettez 45 secondes environ ou jusqu'à ce que les blancs soient montés en neige. Continuez à la vitesse 10, versez lentement le sirop brûlant dans les blancs d'œufs en un fin écoulement et fouettez 1 à 1½ minutes. Ajoutez la vanille et fouettez 5 minutes de plus environ ou jusqu'à ce le glaçage perde son brillant et forme des pointes raides. Nappez immédiatement le gâteau.

Donne : 12 à 16 portions (glaçage pour un gâteau à 2 étages ou de 33 x 23 x 5-cm [13 x 9 x 2-pouces]).

Par portion : Environ 109 cal, 1 g protéine, 27 g glucide, 0 g matières grasses, 0 mg cholestérol, 101 mg sodium.

Glaçage au fromage à la crème et à l'orange

1 L (4 tasses) de sucre en poudre
1 paquet (250 g [8 oz]) de fromage à la crème allégé
5 ml (1 c. à thé) de jus d'orange
2 ml (1.2 c. à thé) de zeste d'orange râpé

Mettez tous les ingrédients dans le bol du batteur. Fixez le bol et le fouet à lame plate au batteur. Réglez à la vitesse d'agitation et battez 30 secondes environ ou jusqu'à ce qu'un mélange homogène soit obtenu. Réglez à la vitesse 4 et battez environ 2 minutes ou jusqu'à ce qu'une préparation lisse et crémeuse soit obtenue.

Donne : 12 à 16 portions (glaçage pour un gâteau à 2 étages ou de 33 x 23 x 5-cm [13 x 9 x 2-pouces]).

Par portion : Environ 196 cal, 2 g protéine, 41 g glucide, 3 g matières grasses, 7 mg cholestérol, 107 mg sodium.

Menthes crémeuses sans cuisson

90 g (3oz) de fromage à la crème allégé
1 ml (¼ c. à thé) d'arôme de menthe
2 gouttes de colorant alimentaire vert ou de la couleur de votre choix
1,05 à 1,125 L (4¼-4½ tasses) de sucre en poudre
Sucre superfin

Mettez le fromage à la crème, l'arôme et le colorant alimentaire dans le bol du batteur. Fixez le bol et le fouet à lame plate au batteur. Réglez à la vitesse 2 et mélangez 30 secondes environ ou jusqu'à ce qu'un mélange lisse soit obtenu. Continuez à la vitesse 2, ajoutez progressivement du sucre en poudre et mélangez environ 1½ minutes ou jusqu'à ce que le mélange devienne très ferme.

Pour faire des menthes, plongez des moules à bonbon flexibles individuels dans du sucre superfin. Bourrez du mélange de menthe. Retournez sur du papier paraffiné couvert de sucre superfin. Répétez la procédure jusqu'à ce que tout le mélange soit utilisé. OU : Formez le mélange en boules de 2-cm (¾-pouce), en utilisant environ 5 ml (1 c. à thé) pour chaque boule.

Rangez les menthes, bien couvertes, au réfrigérateur. Les menthes peuvent aussi être congelées.

Donne : 42 portions (2 bonbons par portion).

Par portion : Environ 54 cal, 0 g protéine, 13 g glucide, 0 g matières grasses, 1 mg cholestérol, 12 mg sodium.

Fudge au Chocolat

Beurre
- 500 *ml (2 tasses) de sucre*
- ½ *ml (⅛ c. à thé) de sel*
- 175 *ml (¾ tasse) de lait concentré*
- 5 *ml (1 c. à thé) de sirop de maïs allégé*
- 2 *carrés (30 g [1 oz] pièce) de chocolat non-sucré*
- 30 *ml (2 c. à soupe) de beurre ou margarine*
- 5 *ml (1 c. à thé) de vanille*
- 500 *ml (2 tasses) de noix ou de noix de pacane hachées*

Beurrez les parois d'une casserole lourde de 1,9 L (2-pintes). Combinez le sucre, le sel, le lait condensé, le sirop de maïs et le chocolat dans la casserole. Chauffez à feu moyen et mélangez jusqu'à ce que le chocolat fonde et que le sucre se dissolve. Chauffez jusqu'à ce qu'une boule souple se forme (113°C [236°F]) sans mélanger. Enlevez immédiatement du feu. Ajoutez du beurre sans mélanger. Laissez tiédir (43°C [110°F]) Incorporez la vanille.

Versez le mélange dans le bol du batteur. Fixez le bol et le fouet à lame plate au batteur. Réglez à la vitesse 2 et mélangez pendant environ 8 minutes ou jusqu'à ce que le fudge durcisse et perde sa brillance. Réglez rapidement à la vitesse d'agitation et ajoutez les noix, en mélangeant juste jusqu'à ce qu'une préparation homogène soit obtenue. Étalez dans un moule beurré de 23 x 23 x 5-cm (9 x 9 x 2-pouces). Laissez refroidir à température ambiante. Coupez en carrés de 2,5-cm (1-pouce) lorsque la pâte est ferme.

Donne : 64 portions (1 carré par portion).

Par portion : Environ 59 cal, 1 g protéine, 7 g glucide, 3 g matières grasses, 1 mg cholestérol, 12 mg sodium.

Fudge blanc divinity

750 ml (3 tasses) de sucre
175 ml (¾ tasse) de sirop
125 ml (½ tasse) d'eau
2 blancs d'œufs.
5 ml (1 c. à thé) d'extrait d'amande
250 ml (1 tasse) de noix ou noix de pacane hachées

Mettez le sucre, le sirop de maïs et l'eau dans une casserole épaisse. Chauffez à feu moyen et mélangez jusqu'à ce qu'une boule dure se forme (120°C [248°F]). Retirez du feu et laissez reposer jusqu'à ce que la température tombe à 100°C (220°F), sans mélanger.

Mettez les blancs d'œufs dans le bol du batteur. Fixez le bol et le fouet fin au batteur. Réglez à la vitesse 8 et fouettez environ 1 minute ou jusqu'à ce que des pointes souples se forment. Ajoutez progressivement du sirop en un écoulement fin et fouettez environ 2½ minutes de plus.

Réglez à la vitesse 4. Ajoutez de l'extrait d'amande et fouettez 20 à 25 minutes ou jusqu'à ce que le mélange commence à devenir sec. Réglez à la vitesse d'agitation et ajoutez les noix, en mélangeant jusqu'à ce qu'une préparation homogène soit obtenue.

Faites tomber la préparation de la cuillère à soupe à mesurer sur le papier paraffiné ou sur une plaque à pâtisserie graissée pour former des galettes.

Donne : 20 portions (2 galettes par portion)

Par portion : Environ 192 cal, 2 g protéine, 40 g glucide, 4 g matières grasses, 0 mg cholestérol, 15 mg sodium.

Biscuits aux grains de chocolat

250 ml (1 tasse) de sucre granulé
250 ml (1 tasse) de sucre brun
250 ml (1 tasse) de beurre ou margarine, ramolli
2 oeufs
7 ml (1½ c. à thé) de vanille
5 ml (1 c. à thé) de bicarbonate de sodium
5 ml (1 c. à thé) de sel
750 ml (3 tasses) de farine tout-usage
360 g (12 oz) de grains de chocolat mi-sucré

Placez le sucre, le beurre, les œufs et la vanille dans le bol du batteur. Fixez le bol et le fouet à lame plate au batteur. Réglez à la vitesse 2 et mélangez pendant environ 30 secondes. Arrêtez le batteur et raclez le bol. Réglez sur la vitesse 4 et battez pendant environ 30 secondes. Arrêtez le batteur et raclez le bol.

Réglez à la vitesse d'agitation. Ajoutez progressivement le bicarbonate de sodium, le sel et la farine au mélange de sucre et mélangez pendant environ 2 minutes. Réglez à la vitesse 2 et mélangez pendant environ 30 secondes. Arrêtez le batteur et raclez le bol. Ajoutez les grains de chocolat. Réglez à la vitesse d'agitation et mélangez environ 15 secondes.

Faites tomber des c. à thé bombées de préparation sur des plaques à pâtisserie graissées en les espaçant de 5-cm (2-pouces). Faites cuire au four à 190°C (375°F) pendant 10 à 12 minutes. Retirez immédiatement des plaques à pâtisserie et laissez complètement refroidir sur des grilles.

Donne : 54 portions (1 biscuit par portion).

Par portion : Environ 117 cal, 1 g protéine, 17 g glucide, 5 g matières grasses, 8 mg cholestérol, 106 mg sodium.

VARIATIONS

500 ml (2 tasses) de raisins, de coconut, ou des noix hachées peuvent être substituées aux morceaux de chocolat.

Biscuits aux morceaux de chocolat et de noix macadamia

- 250 *ml (1 tasse) de sucre brun fermement tassé*
- 175 *ml (¾ tasse) de sucre*
- 250 *ml (1 tasse) de beurre ou margarine, ramolli*
- 10 *ml (2 c. à thé) de vanille*
- 2 *oeufs*
- 550 *ml (2¼ tasses) de farine tout-usage, divisée*
- 125 *ml (½ tasse) cacao en poudre non-sucré*
- 5 *ml (1 c. à thé) de bicarbonate de sodium*
- 2 *ml (½ c. à thé) de sel*
- 1 *paquet (250 g [8 oz.]) de chocolat de ménage, semi-sucré, coupé en petits morceaux*
- 1 *contenant (105 g. [3½ oz]) de noix de macadamia, grossièrement hachées*

Placez le sucre brun, le sucre, la margarine, la vanille, et les œufs dans le bol du batteur. Fixez le bol et le fouet à lame plate au batteur. Réglez à la vitesse 2 et mélangez pendant environ 30 secondes. Arrêtez le batteur et raclez le bol. Réglez sur la vitesse 4 et battez pendant environ 1 minute. Arrêtez le batteur et raclez le bol.

Ajoutez 250 ml (1 tasse) de poudre de cacao, bicarbonate de sodium, et le sel. Réglez à la vitesse d'agitation et mélangez pendant environ 30 seconds. Incorporez progressivement 300 ml (1¼ tasses) de farine restante et mélangez environ 30 secondes de plus. Réglez à la vitesse 2 et mélangez environ 30 secondes. Réglez à la vitesse d'agitation et ajoutez les morceaux de chocolat et les noix, et mélangez jusqu'à ce qu'une préparation homogène soit obtenue.

Faites tomber des c. à thé bombées de préparation sur des plaques à pâtisserie graissées en les espaçant de 5 cm (2 pouces). Faites cuire au four à 160°C (325°F) pendant 12 à 13 minutes, ou jusqu'à ce que les bords soient pris. NE FAITES PAS TROP CUIRE. Laissez refroidir sur une plaque à pâtisserie pendant environ 1 minute. Laissez complètement refroidir sur des grilles.

Donne : 48 portions (1 biscuit par portion)

Par portion : Environ 125 cal, 2 g protéine, 16 g glucide, 7 g matières grasses, 9 mg cholestérol, 107 mg sodium.

Biscuits au sucre

250 mL(1 tasse) de beurre ou margarine, ramolli
5 ml (1 c. à thé) de vanille
175 ml (¾ tasse) de sucre
2 oeufs, battus
5 ml (1 c. à thé) de crème de tartre
2 ml (½ c. à thé) de bicarbonate de sodium
1 ml (¼ c. à thé) de muscade
1 ml (¼ c. à thé) de sel
500 ml (2 tasses) de farine tout-usage
Sucre

Mettez la margarine et la vanille dans le bol du batteur. Fixez le bol et le fouet à lame plate au batteur. Réglez à la vitesse 6 et battez pendant environ 2 minutes, ou jusqu'à ce que le mélange soit lisse. Incorporez progressivement 175 ml (¾ tasse) de sucre et battez environ 1½ minutes de plus. Ajoutez les œufs et battez pendant environ 30 secondes. Arrêtez le batteur et raclez le bol.

Réglez à la vitesse d'agitation. Incorporez progressivement la crème de tartre, le bicarbonate de sodium, la muscade, le sel, et la préparation de farine et de sucre. Mélangez environ 1 minute ou jusqu'à ce qu'une préparation homogène soit obtenue.

Faites tomber des c. à thé bombées de préparation sur des plaques à pâtisserie graissées en les espaçant de 7.5 cm (3 pouces). Faites cuire au four à 200°C (400°F) pendant 6 à 8 minutes. Saupoudrez de sucre pendant qu'ils sont chauds. Enlevez immédiatement de la plaque à pâtisserie et laissez complètement refroidir sur une grille.

Donne : 48 portions (1 biscuit par portion).

Par portion : Environ 69 cal, 1 g protéine, 8 g glucide, 4 g matières grasses, 9 mg cholestérol, 70 mg sodium.

Biscuits au beurre d'arachide

125 ml (½ tasse) de beurre d'arachide
125 ml (½ tasse) de beurre ou margarine, ramolli
125 ml (½ tasse) de sucre granulé
125 ml (½ tasse) de sucre brun
1 oeuf
2 ml (½ c. à thé) de vanille
2 ml (½ c. à thé) de bicarbonate de sodium
1 ml (¼ c. à thé) de sel
300 ml (1¼ tasse) de farine tout-usage

Mettez le beurre d'arachide et le beurre dans le bol du batteur. Fixez le bol et le fouet à lame plate au batteur. Réglez à la vitesse 6 et battez 1 minute environ ou jusqu'à ce qu'un mélange lisse soit obtenu. Arrêtez le batteur et raclez le bol. Ajoutez les sucres, l'œuf et la vanille. Réglez à la vitesse 4 et battez pendant environ 1 minute. Arrêtez le batteur et raclez le bol.

Réglez à la vitesse d'agitation. Ajoutez progressivement tous les ingrédients restants au mélange de sucre et mélangez pendant 30 secondes environ. Réglez à la vitesse 2 et mélangez pendant environ 30 secondes.

Roulez la pâte en boules de 2,5-cm (1-pouce). Placez-les sur des plaques à pâtisserie non graissées en les espaçant de 5-cm (2-pouces. Aplatissez avec une fourchette, selon un motif croisé, à une épaisseur de 5-mm (¼-pouce).

Faites cuire au four à 190°C (375°C) pendant 10 à 12 minutes ou jusqu'à ce que ce soit doré. Retirez immédiatement des plaques à pâtisserie et laissez complètement refroidir sur des grilles.

Donne : 36 portions (1 biscuit par portion).

Par portion : Environ 83 calories, 2 g protéine, 10 g glucide, 4 g matières grasses, 6 mg cholestérol, 81 mg sodium.

Barres sablées aux noix

250 ml (1 tasse) de beurre ou margarine, ramolli
250 ml (1 tasse) de sucre brun bien tassé
500 ml (2 tasses) de farine tout-usage
5 ml (1 c. à thé) de levure chimique
2 ml (½ c. à thé) de sel
2 blancs d'œufs
250 ml (1 tasse) de noix ou de noix de pacane hachées

Mettez le beurre et le sucre brun dans le bol du batteur. Fixez le bol et le fouet à lame plate au batteur. Réglez à la vitesse 2 et mélangez environ 1 minute. Arrêtez le batteur et raclez le bol. Ajoutez la farine, la levure chimique et le sel. Réglez à la vitesse 2 et battez 1½ minute environ ou jusqu'à ce qu'une pâte souple soit obtenue.

Tassez la pâte dans un moule graissé 40 x 25 x 2-cm (151.2 x 10 x 1-pouces). Battez les blancs d'œufs à la fourchette jusqu'à ce qu'ils soient légèrement mousseux. Recouvrez légèrement la pâte de blancs d'œufs au pinceau. Saupoudrer de noix hachées.

Faites cuire au four à 190°C (375°F) pendant 20 à 25 minutes. Coupez le gâteau en barres pendant qu'il est chaud. Laissez complètement refroidir sur une grille.

Donne : 30 portions (1 barre par portion).

Par portion : Environ 139 calories, 2 g protéine, 14 g glucide, 8 g matières grasses, 17 mg cholestérol, 114 mg sodium.

Brownies au Fudge

250 ml (1 tasse) de margarine ou de beurre, ramolli
4 carrés (30 g [1 oz] pièce) de chocolat non-sucré
500 ml (2 tasses) de sucre
5 ml (1 c. à thé) de vanille
3 oeufs
250 ml (1 tasse) de farine tout-usage
2 ml (½ c. à thé) de sel
250 ml(1 tasse) de noix ou de noix de pacane hachées

Faites fondre 125 ml (½ tasse) de beurre et le chocolat dans une petite poêle à feu doux; laissez refroidir. Placez les 125 ml (½ tasse) de beurre, de sucre et de vanille restants, dans le bol du batteur. Fixez le bol et le fouet à lame plate au batteur. Réglez à la vitesse 2 et mélangez pendant environ 30 secondes. Réglez à la vitesse 6 et battez 2 minutes environ. Réglez à la vitesse 4 et ajoutez les œufs, un par un, en battant environ 15 secondes après chaque ajout. Arrêtez le batteur et raclez le bol.

Ajoutez la préparation de chocolat refroidie. Réglez sur la vitesse 2 et mélangez pendant environ 30 secondes. Arrêtez le batteur et raclez le bol.Ajoutez tous les ingrédients restants. Réglez à la vitesse d'agitation mélangez pendant environ 30 secondes, ou jusqu'à ce qu'un mélange homogène soit obtenu.

Versez la préparation dans un moule graissé et saupoudrés de farine de 33 x 23 x 5-cm (13 x 9 x 2-inch). Faites cuire au four à 180°C (350°F) pendant 45 minutes. Laissez complètement refroidir sur une grille et coupez.

Donne : 36 portions (1 brownie par portion)

Par portion : Environ 143 cal, 2 g protéine,
16 g glucide, 9 g matières grasses, 18 mg cholestérol, 93 mg sodium.

Barres au fromage à la crème et au citron

Fond de pâtisserie

500 ml (2 tasses) de farine tout-usage
125 ml (½ tasse) de sucre en poudre
250 ml (1 tasse) (2 bâtons) de beurre ou margarine, coupé en morceaux

Garniture au fromage à la crème

1 paquet (250 g [8 oz]) de fromage à la crème allégé
125 ml (½ tasse) de sucre en poudre
30 ml (2 c. à soupe) de farine
2 oeufs
5 ml (1 c. à thé) de vanille

Garniture au citron

4 oeufs
500 ml (2 tasses) de sucre granulé
50 ml (¼ tasse) de farine tout-usage
5 ml (1 c. à thé) de zeste de citron râpé
50 ml (¼ tasse) de jus de citron
Sucre en poudre, si vous voulez

Mettez tous les ingrédients du **fond de pâtisserie** dans le bol du batteur. Fixez le bol et le fouet à lame plate au batteur. Réglez à la vitesse d'agitation et mélangez 1 minute environ ou jusqu'à ce qu'un mélange homogène soit obtenu et jusqu'à ce que le mélange commence à adhérer. Tassez la pâte dans un moule non graissé 40 x 25 x 2-cm (151.2 x 101.2 x 1-pouces). Faites cuire au four à 180°C (350°F) pendant 14 à 16 minutes ou jusqu'à ce que la pâte soit prise.
(**Remarque :** Inspectez le **fond de pâtisserie** au bout de 10 minutes et piquez-le à la fourchette si la pâte gonfle pendant la cuisson.) Sortez le plat du four.

Pendant ce temps, nettoyez le bol du batteur et le fouet. Mettez les ingrédients de la **garniture au fromage à la crème** dans le bol du batteur. Fixez le bol et le fouet à lame plate au batteur. Réglez à la vitesse d'agitation et mélangez environ 30 secondes. Réglez à la vitesse 4 et battez environ 2 minutes ou jusqu'à ce qu'une préparation lisse et crémeuse soit obtenue. Versez sur le **fond de pâtisserie** partiellement cuit. Faites cuire au four à 180°C (350°F) pendant 6 à 7 minutes, ou jusqu'à ce que la garniture soit légèrement prise. Sortez le plat du four.

Pendant ce temps, nettoyez le bol du batteur et le fouet. Mettez tous les ingrédients de la **garniture au citron**, sauf le jus de citron, dans le bol du batteur. Fixez le bol et le fouet à lame plate au batteur. Réglez à la vitesse d'agitation et mélangez environ 30 secondes. Réglez à la vitesse 2. Ajoutez progressivement le jus de citron et mélangez 30 secondes environ ou jusqu'à ce qu'un mélange homogène soit obtenu. Versez sur **la garniture au fromage à la crème**. Faites cuire au four à 180°C (350°F) pendant 14 à 16 minutes, ou jusqu'à ce que la garniture soit prise. La garniture peut gonfler pendant la cuisson mais retombera à la sortie du four.) Saupoudrez de sucre en poudre, si vous le désirez. Laissez complètement refroidir dans le moule.

Donne : 48 portions (1 barre par portion).

Par portion : Environ 115 calories, 2 g protéine, 16 g glucide, 5 g matières grasses, 39 mg cholestérol, 65 mg sodium

Pâte à tarte KitchenAid

550 ml (2¼ tasses) de farine tout-usage
3 ml (¾ c. à thé) de sel
125 ml (½ tasse) de shortening, bien froid
30 ml (2 c. à soupe) de beurre ou margarine, bien froid
60 à 70 ml (5-6 c. à soupe) d'eau froide

Mettez la farine et le sel dans le bol du batteur. Fixez le bol et le fouet à lame plate au batteur. Réglez à la vitesse d'agitation et mélangez environ 15 secondes. Coupez le shortening et le beurre en morceaux et ajoutez-les au mélange de farine. Réglez à la vitesse d'agitation et mélangez 30 à 45 secondes ou jusqu'à ce que les particules de shortening soient de la taille de petits pois.

Continuez à la vitesse d'agitation, ajoutez l'eau, par 15 ml (1 c. à soupe), en mélangeant jusqu'à ce que toutes les particules soient humidifiées et que la pâte commence à avoir de la cohésion.

Coupez la pâte en deux. Formez chaque moitié à la main en une boule lisse et aplatissez-la légèrement. Enveloppez d'une pellicule de plastique. Réfrigérez 15 minutes.

Roulez une moitié de pâte à une épaisseur de 3 mm (⅛ pouce) entre des feuilles de papier paraffiné. Pliez la pâte en quatre. Introduisez-la dans un moule à tarte de 20 ou 23-cm (8 ou 9-pouces) et dépliez-la, en appuyant fermement contre le fond et les parois. Continuez avec une des procédures suivantes.

Pour une tarte sans croûte sur le dessus : Repliez le bord. Pincez la pâte si vous le désirez. Ajoutez la garniture de tarte désirée. Faites cuire selon les instructions.

Pour une tarte à croûte sur le dessus : Coupez la pâte à tarte au ras du bord du plat à tarte. Étalez une autre pâte à tarte en utilisant la deuxième moitié de la pâte. Ajoutez la garniture de tarte désirée. Recouvrez de la deuxième pâte à tarte. Scellez le bord. Pincez la pâte si vous le désirez. Coupez des fentes pour que la vapeur puisse s'échapper. Faites cuire selon les instructions.

Suite à la page suivante

Pour un fond de pâtisserie cuit : Repliez le bord. Pincez la pâte si vous le désirez. Piquez les côtés et le fond à la fourchette. Faites cuire au four à 230°C (450°F) pendant 8 à 10 minutes ou jusqu'à ce que ce soit doré. Laissez complètement refroidir sur une grille et garnissez.

Autre méthode pour un fond de pâtisserie cuit : Repliez le bord. Pincez la pâte si vous le désirez. Garnissez le fond de pâtisserie de papier d'aluminium. Remplissez de poids à tarte ou de haricots secs. Faites cuire au four à 230°C (450°F) pendant 10 à 12 minutes ou jusqu'à ce que tous les bords soient dorés. Retirez les poids à tarte et le papier d'aluminium. Laissez complètement refroidir sur une grille et garnissez.

Donne : 8 portions (deux pâtes à tarte de 20 à 23-cm [8 ou 9-pouces].

Par portion (sans croûte sur le dessus) :
Environ 134 calories, 2 g protéine, 13 g glucide, 8 g matières grasses, 0 mg cholestérol, 118 mg sodium.

Par portion (avec croûte sur le dessus) :
Environ 267 calories, 4 g protéine, 27 g glucide, 16 g matières grasses, 0 mg cholestérol, 236 mg sodium.

Tartes aux pommes

- *250 ml (1 tasse) de sucre*
- *30 ml (2 c. à soupe) de farine tout-usage*
- *5 ml (1 c. à thé) de cannelle*
- *0.5 ml (⅛ c. à thé) de muscade*
- *0.5 ml (⅛ c. à thé) de sel*
- *6-8 pommes à cuire, épluchées, creusées, et tranchées finement*
- *30 ml (2 c. à soupe) de margarine ou de beurre*
- *Pâte à tarte KitchenAid à deux croûtes* *(voir page 123)*

Combinez le sucre, la farine, la cannelle, la muscade et le sel dans un grand bol. Incorporez les pommes.

Suivez la procédure pour une croûte sur le dessus. Remplissez du mélange de pommes et d'un peu de margarine. Saupoudrez la croûte de sucre, si vous le désirez.

Cuire à 200°C (400°F) pendant 50 minutes.

Donne : 8 portions.

Par portion (avec croûte et garniture) : Environ 451 cal, 4 g protéine, 68 g glucide, 19 g matières grasses, 0 mg cholestérol, 301 mg sodium.

Cobbler paysan aux poires

Nappage

- *175 ml (¾ tasse) de sucre brun bien tassé*
- *45 ml (3 c. à soupe) de farine tout-usage*
- *0.5 ml (⅛ c. à thé) de sel*
- *0.5 ml (⅛ c. à thé) de muscade*
- *clou de girofle*
- *30 ml (2 c. à table) de jus de citron*
- *6-8 poires moyennes, pelées, creusées, et finement tranchées*

Garniture

- *250 ml (1 tasse) de farine tout-usage*
- *30 ml (2 c. à table) de sucre*
- *5 ml (1 c. à thé) de levure chimique*
- *2 ml (½ c. à thé) de bicarbonate de sodium*
- *125 ml (½ tasse) de babeurre*
- *45 ml (3 c. à soupe) de margarine ou de beurre, ramolli*
- *15 ml (1 c. à soupe) de sucre, si désiré*
- *Crème légère si désiré*

Combinez tous les ingrédients de la garniture, sauf les poires, dans un grand poêlon. Incorporez les poires tranchées. Faites cuire à feu moyen pendant environ 5 minutes, ou jusqu'à ce que le mélange soit chaud et bouillonnant, remuez doucement. Mettez de côté.

Pour faire le nappage, placez la farine, le sucre, la levure chimique et le bicarbonate de sodium, dans le bol du batteur. Fixez le bol et le fouet à lame plate au batteur. Réglez à la vitesse d'agitation et mélangez 30 secondes. Ajoutez le babeurre et la margarine ramollie. Continuez à la vitesse d'agitation et mélangez environ 30 secondes, ou jusqu'à ce qu'un mélange homogène soit obtenu.

Versez le remplissage chaud dans la casserole 20- ou 23-cm (8- ou 9-pouces). Remplissez également avec des grandes cuillerées de nappage. Saupoudrez de 15 ml (1 c. à table) de sucre, si désiré. Faites cuire à 190°C (375°F) pendant 30 à 35 minutes, ou jusqu'à ce que les poires soient tendres et bouillonnantes et que la garniture soit brune-dorée. Servez tiède avec de la crème légère, si désiré.

Donne : 8 à 10 portions.

Par portion : Environ 276 cal, 3 g protéine, 57 g glucide, 5 g matières grasses, 1 mg cholestérol, 219 mg sodium.

Tarte à la crème vanillée

125 ml (½ tasse) de sucre
90 ml (6 c. à table) de farine tout-usage
1 ml (¼ c. à thé) de sel
625 ml (2½ tasses) de lait à basse teneur en matières grasses
3 jaunes d'œufs
15 ml (1 c. à soupe) de beurre ou margarine
5 ml (1 c. à thé) de vanille
Coquille pâtissière KitchenAid (voir page 123)

Meringue
1 ml (¼ c. à thé) crème de tartre
0.5 ml (⅛ c. à thé) de sel
3 blancs d'œufs
125 ml (½ tasse) de sucre

Combinez le sucre, la farine, et le sel dans une grande casserole. Ajoutez le lait et faite cuire à feu moyen jusqu'à ce que le mélange épaississe, en remuant constamment. Réduisez le feu à doux. Faites cuire, couvert, environ 10 minutes de plus, en remuant occasionnellement. Mettez de côté.

Placez les jaunes d'œufs dans le bol du batteur. Fixez le bol et le fouet fin au batteur. Réglez à la vitesse 8 et fouettez environ 1 minute. Ajoutez lentement de petite quantité de lait aux jaunes d'œufs. Ajoutez le mélange de jaunes d'œufs à la casserole. Faites cuire à feu moyen 3 à 4 minutes, en remuant constamment. Retirez du feu. Ajoutez la margarine et la vanille; laissez refroidir. Versez dans les coquilles pâtissières.

Pour faire la **meringue**, placez la crème de tartre, le sel, et les blancs d'oeufs dans le bol du batteur. Fixez le bol et le fouet fin au batteur. Réglez progressivement à la vitesse 8 et fouettez environ 1 minute, ou jusqu'à ce que des pointes souples se forment. Réglez à la vitesse 4. En ajoutant progressivement le sucre et en fouettant environ 1 minute, ou jusqu'à ce que des pointes fermes se forment.

Empilez légèrement la **meringue** sur la tarte et étendez au rebord. Faites cuire au four à 160°C (325°F) pendant 15 minutes, ou jusqu'à ce que ce soit légèrement doré.

Donne : 8 portions.

Par portion (croûte et garniture) : Environ 332 cal, 7 g protéine, 47 g glucide, 13 g matières grasses, 86 mg cholestérol, 297 mg sodium.

Variations suite à la page suivante.

VARIATIONS

Tarte à la crème de Chocolat

Ajoutez 2 carrés (30 g. [1 oz] chacun) de chocolat fondu et non sucré à ajouter avec la margarine et vanille. Procédez de la façon indiquée à la page précédente.

Par portion (garniture et croûte) : Environ 368 cal, 8 g protéine, 49 g glucide, 16 g matières grasses, 86 mg cholestérol, 298 mg sodium.

Tarte à la crème de Banane

Coupez 2 ou 3 tranches de bananes dans la coquille de pâtisserie avant d'ajouter la garniture. Procédez de la façon indiquée à la page précédente.

Par portion (garniture et croûte) : Environ 359 cal, 8 g protéine, 54 g glucide, 13 g matières grasses, 86 mg cholestérol, 298 mg sodium.

Tarte à la crème de noix de coco

Ajoutez 125 ml (½ tasse) de flacons de noix de coco au nappage avant de l'ajouter à la coquille de pâtisserie. Avant de le faire cuire, saupoudrez 50 ml (¼ tasse) de flacons de noix de coco sur la meringue. Procédez de la façon indiquée à la page précédente.

Par portion (garniture et croûte) : Environ 376 cal, 8 g protéine, 51 g glucide, 16 g matières grasses, 86 mg cholestérol, 320 mg sodium.

Gâteau au fromage allégé citronné

Fond de pâtisserie

15 *biscuits au chocolat fourrés à la crème à teneur réduite en matières grasses finement écrasés (environ 375 ml [1½ tasse] de miettes)*

30 *ml (2 c. à soupe) de beurre ou margarine, fondu*

Garniture

3 *paquets (250 g [8 oz] pièce) de fromage à la crème allégé*

250 *ml (1 tasse) de sucre*

15 *ml (1 c. à soupe) de farine tout-usage*

4 *oeufs*

50 *ml (¼ tasse) de jus de citron*

5 *ml (1 c. à thé) de zeste de citron râpé*

Pulvérisez un aérosol de cuisine anti-adhésif sur le fond et les parois d'un moule à charnière de 23-cm (9-pouces).

Pour faire le **fond de pâtisserie**, combinez les miettes de biscuits et le beurre dans un bol moyen ; mélangez bien. Enfoncez fermement le mélange dans le fond du moule à charnière. Réfrigérez pendant que vous faites la **garniture**.

Pour faire la **garniture**, placez le fromage à la crème, le sucre et la farine dans le bol du batteur. Fixez le bol et le fouet à lame plate au batteur. Réglez à la vitesse 2 et mélangez pendant environ 30 secondes. Arrêtez le batteur et raclez le bol. Réglez à la vitesse 2 et mélangez pendant environ 30 secondes de plus. Arrêtez le batteur et raclez le bol.

Ajoutez les œufs, le jus de citron et le zeste de citron. Réglez à la vitesse d'agitation et mélangez environ 30 secondes. Arrêtez le batteur et raclez le bol. Réglez à la vitesse 2 et mélangez 15 à 30 secondes environ ou jusqu'à ce qu'un mélange homogène soit obtenu. Ne battez pas trop. Versez la **garniture** sur le **fonds de pâtisserie**.

Mettez la grille du four supérieure au centre du four. Placez un moule rempli d'eau très chaude sur la grille du four inférieure. Placez le gâteau au fromage sur la grille du four au centre du four. Faites cuire au four à 160°C (325°F) pendant 50 à 60 minutes ou jusqu'à ce que le gâteau au fromage soit ferme lorsque le moule est légèrement secoué. Ne faites pas trop cuire.

Éteignez le four, ouvrez la porte du four. Laissez le gâteau au fromage dans le four pendant 30 minutes. Sortez le plat du four. Laissez complètement refroidir sur une grille à l'écart des courants d'air. Couvrez et réfrigérez 6 à 8 heures avant de servir.

Donne : 16 portions.

Par portions : Environ 169 calories, 6 g protéine, 20 g glucide, 7 g matières grasses, 68 mg cholestérol, 214 mg sodium.

Tarte à la citrouille fauve

1 boîte (500 g [16 oz]) de citrouille
175 ml (¾ tasse) de sucre brun bien tassé
3 oeufs
5 ml (1 c. à thé) de cannelle
2 ml (½ c. à thé) de gingembre
2 ml (½ c. à thé) de sel
1 ml (¼ c. à thé) de clous de girofle
300 ml (1¼ tasse) de lait à faible teneur en matières grasses
Pâte à tarte pour tarte sans croûte sur le dessus (voir page 123)

Placez la citrouille, le sucre roux, les œufs, la cannelle, le gingembre, le sel et les clous de girofle dans le bol du batteur. Fixez le bol et le fouet à lame plate au batteur. Réglez à la vitesse 2 et mélangez pendant environ 30 secondes. Arrêtez le batteur et raclez le bol. Continuez à la vitesse 2, ajoutez lentement le lait et mélangez pendant environ 1½ minute.

Suivez la procédure pour une tarte sans croûte sur le dessus. Remplissez de préparation à la citrouille. Faites cuire au four à 200°C (400°F) pendant 40 à 50 minutes, ou jusqu'à ce qu'une lame de couteau insérée près du centre en sorte propre.

Donne : 8 portions.

Par portions (garniture et pâte à tarte) : Environ 280 calories, 6 g protéine, 41 g glucide, 11 g matières grasses, 87 mg cholestérol, 325 mg sodium.

Instructions générales pour faire et pétrir la pâte à levure avec la méthode de mélange rapide

Le « Mélange rapide » décrit une méthode de fabrication du pain qui demande de mélanger des levures sèches à d'autres ingrédients secs avant d'ajouter le liquide. Contrairement à la méthode traditionnelle qui demande de dissoudre les levures dans l'eau chaude.

1. Mettez tous les ingrédients secs y compris la levure dans un bol, sauf les derniers 250 à 500 ml (1 à 2 tasses) de farine.
2. Fixez le bol et le crochet pétrisseur. Réglez à la vitesse 2 et mélangez 15 secondes environ ou jusqu'à ce que tous les ingrédients soient combinés.
3. Continuez à la vitesse 2, ajoutez progressivement les ingrédients liquides au mélange de farine et mélangez pendant 1 à 2 minutes de plus. Reportez-vous à l'illustration A.

Remarque : Si les ingrédients liquides sont ajoutés trop rapidement, ils formeront une flaque autour du crochet pétrisseur et ralentiront le mélange.

4. Tout en poursuivant à la vitesse 2, ajoutez délicatement le restant de farine par 125 ml (½ tasse) à la fois. Reportez-vous à l'illustration B. Mélangez jusqu'à ce que la pâte colle au crochet et se décolle complètement des parois du bol, environ 2 minutes.
5. Lorsque la pâte colle au crochet, pétrissez à la vitesse 2 pendant 2 minutes ou jusqu'à ce que la pâte soit lisse et élastique. Voir l'illustration C.
6. Inclinez en arrière la tête du batteur et retirez la pâte du crochet. Suivez les instructions de la recette pour faire lever, former et faire cuire la pâte.

Lors de l'utilisation de la méthode traditionnelle pour préparer une recette favorite, dissolvez la levure dans l'eau chaude dans un bol réchauffé. Ajoutez les ingrédients secs et liquides restants, sauf les derniers 250 à 500 ml (1 à 2 tasses) de farine. Réglez à la vitesse 2 et mélangez 1 minute environ ou jusqu'à ce que tous les ingrédients soient bien mélangés. Poursuivez avec les étapes 4 à 6.

Les deux méthodes sont aussi efficaces pour la préparation du pain. Toutefois, la méthode « Mélange rapide » peut être un peu plus rapide et plus facile pour les nouveaux boulangers. La tolérance à la température est légèrement supérieure, car la levure est mélangée aux ingrédients secs au lieu d'un liquide chaud.

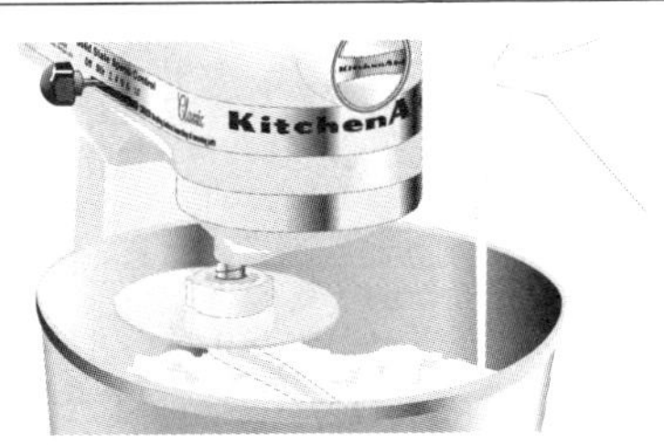

L'ILLUSTRATION A

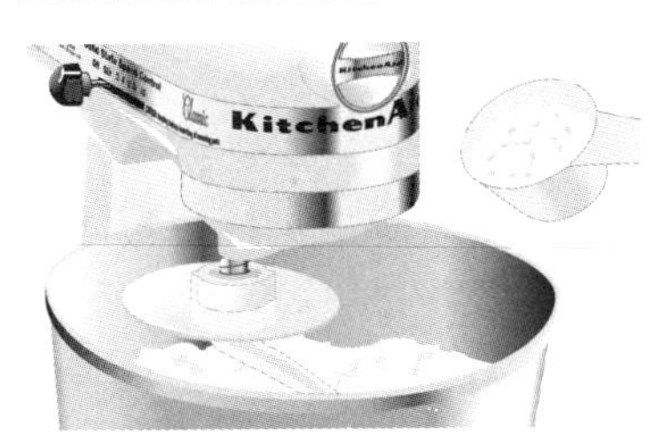

L'ILLUSTRATION B

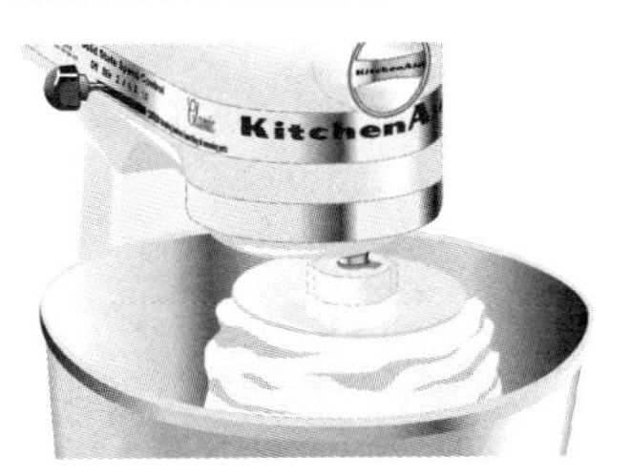

L'ILLUSTRATION C

Conseils de fabrication du pain

Faire du pain avec un batteur est assez différent de le faire à la main.Par conséquent, vous devrez vous entraîner avant d'être parfaitement à l'aise avec le nouveau procédé. Nous tenons à vous faire les recommandations suivantes pour faciliter votre apprentissage de fabrication du pain de la manière KitchenAid®.

- Commencez avec une recette facile, comme celle du pain blanc de base, page 133, jusqu'à ce que vous ayez l'habitude d'utiliser le crochet pétrisseur.
- Utilisez TOUJOURS le crochet pétrisseur pour mélanger et pétrir les pâtes levées.
- N'excéder JAMAIS la vitesse 2 lors de l'utilisation du crochet pétrisseur.
- N'utilisez JAMAIS de recettes qui requièrent plus de 2 L (8 tasses) de farine tout-usage ou 1.5 L (6 tasses) de farine de blé complet lors de la fabrication de pâte avec un batteur de 4.26 L (4½ pintes).
- N'utilisez JAMAIS de recettes qui requièrent plus de 2.5 L (10 tasses) de farine tout-usage ou 1.5 L (6 tasses) de farine de blé complet lors de la fabrication de pâte avec un batteur de 4.73 L (5 pintes).
- Utilisez un thermomètre à sirop ou tout autre thermomètre de cuisine pour assurer que les liquides sont à la température spécifiée dans la recette. Les liquides à des températures supérieures peuvent détruire la levure, alors que ceux aux températures inférieures retardent la croissance de la levure.
- Réchauffez tous les ingrédients à la température ambiante pour assurer la bonne levée de la pâte. Si la levure doit être dissoute dans un bol, commencez toujours par réchauffer le bol en le rinçant à l'eau chaude pour empêcher le refroidissement des liquides.
- Laissez le pain lever dans un endroit chaud, 27°C à 30°C (80°F à 85°F), à l'abri des courants d'air, sauf indications contraires dans la recette.
- Voici quelques autres méthodes à utiliser : (1) Le bol contenant la pâte peut être place sur une grille au-dessus d'un moule rempli d'eau très chaude. (2) Le bol peut être placé sur la grille supérieure d'un four non chauffé; mettez un moule rempli d'eau très chaude sur la grille inférieure. (3) Allumez le four à 200 °C (400°F) pendant 1 minute; puis éteignez-le; placez le bol sur la grille centrale du four et fermez la porte.

  Couvrez le bol de papier paraffiné, si vous le désirez. Couvrez toujours avec une serviette pour garder la chaleur dans le bol et protéger la pâte des courants d'air.
- Les durées de levée de recette peuvent varier selon la température et l'humidité dans votre cuisine. La pâte a doublé de volume si l'indentation reste après que les bouts des doigts se sont enfoncés légèrement et rapidement dans la pâte.

Suite à la page suivante.

Conseils de fabrication du pain

- La plupart des recettes de pain donnent une plage de quantités de farine à utiliser. Si la pâte colle au crochet et se détache des parois du bol, cela signifie qu'il y a assez de farine. Si la pâte est collante ou si l'humidité est élevée, ajoutez lentement plus de farine, environ 125 ml (½ tasse) d'un coup, mais ne dépassez JAMAIS la capacité de farine recommandée. Pétrissez après chaque ajout jusqu'à ce que la farine soit complètement absorbée dans la pâte. S'il y a trop de farine, le pain sera sec.
- Certains types de pâte, surtout celles faites avec des farines complètes, peuvent ne pas former une boule sur le crochet. Toutefois, tant que le crochet est en contact avec la pâte, le pétrissage se fait.
- Certaines recettes en grande quantité et pâtes molles peuvent parfois passer par-dessus le collier du crochet. Ceci indique généralement que la pâte est collante et qu'il faut ajouter de la farine. Plus tôt la farine est ajoutée, moins la pâte risque de grimper sur le crochet. Pour de telles recettes, essayez de commencer avec toute la farine, sauf la dernière tasse, dans le procédé de mélange initial. Puis, ajoutez dès que possible la farine restante.
- Lorsque cela est fait, les pains mollets et pains levés doivent être bien dorés. Autres tests de cuisson des pains : Le pain s'écarte des parois du moule, et taper sur le dessus du pain produit un son creux. Retournez immédiatement les pains et les pains mollets sur grilles après la cuisson pour éviter qu'ils ne soient ramollis.

Formage du pain

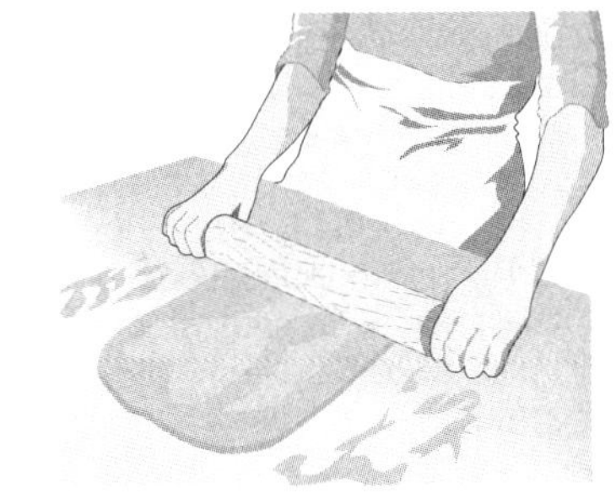

Coupez la pâte en deux. Sur une surface légèrement saupoudrée de farine, roulez chaque moitié en forme d'un rectangle d'environ 23 x 36-cm (9 x 14-pouces). Le rouleau à pâtisserie permet de lisser la pâte et de retirer les bulles d'air.

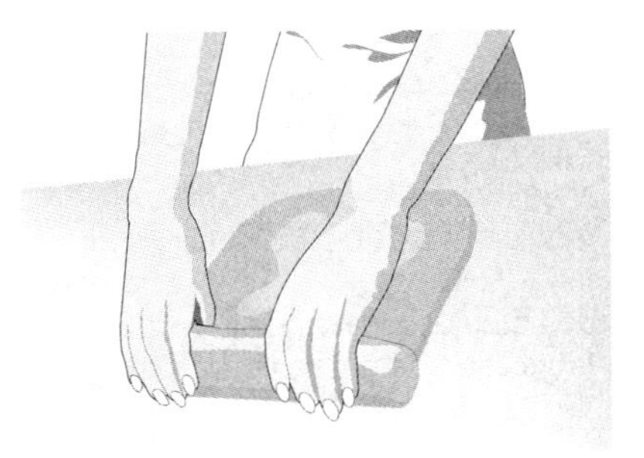

Roulez la pâte bien serrée, en partant d'une petite extrémité. Pincez la pâte pour sceller le joint.

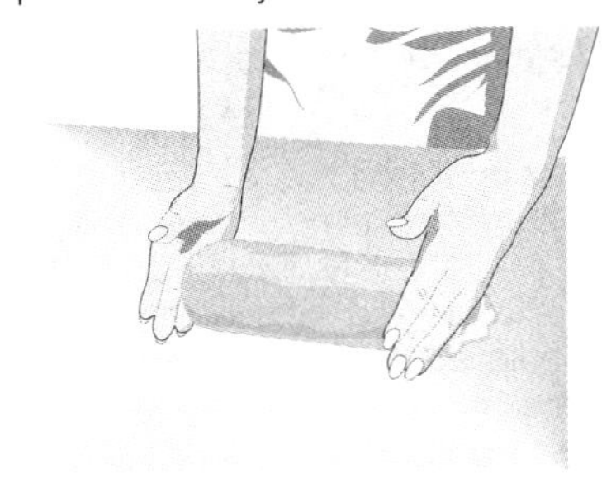

Pincez les extrémités et repliez. Mettez, joint vers le bas, dans un moule à pain. Suivez les instructions de la recette pour la levée et la cuisson.

Pain blanc de base

125 ml (½ tasse) de lait à basse teneur en matières grasses
45 ml (3 c. à soupe) de sucre
10 ml (2 c. à thé) de sel
45 ml (3 c. à soupe) de beurre ou margarine
2 sachets de levure sèche active
375 ml (1½ tasse) d'eau chaude (105°F à 115°F [40°C à 46°C])
1,25 à 1,5 litre (5-6 tasses) de farine tout-usage

Mettez le lait, le sucre, le sel et le beurre dans une petite casserole. Faites chauffer à feu doux jusqu'à ce que le beurre fonde et que le sucre se dissolve. Laissez tiédir.

Dissolvez la levure dans l'eau chaude, dans le bol de batteur réchauffé. Ajoutez le mélange de lait tiède et 1,125 L (4½ tasses) de farine. Fixez le bol et le crochet pétrisseur au batteur. Réglez à la vitesse 2 et mélangez environ 1 minute.

Continuez à la vitesse 2, ajoutez doucement la farine restante, par 125 ml (½ tasse) et mélangez environ 2 minutes ou jusqu'à ce que la pâte colle au crochet et se détache des parois du bol. Pétrissez à la vitesse 2 environ 2 minutes de plus ou jusqu'à ce que la pâte soit lisse et élastique. La pâte doit être légèrement collante au toucher.

Placez la pâte dans un bol graissé, en la tournant pour en graisser le dessus. Couvrez. Laissez lever dans un lieu chaud, à l'abri des courants d'air, environ 1 heure ou jusqu'à ce qu'elle double de volume.

Enfoncez fermement le poing dans la pâte et coupez-la en deux. Formez chaque moitié en un pain, selon les instructions de la page 132, et placez dans des moules graissés de 21 x 12 x 6-cm (8½ x 4½ x 2½-pouces). Couvrez. Laissez lever dans un lieu chaud, à l'abri des courants d'air, environ 1 heure ou jusqu'à ce que la pâte ait doublé de volume.

Faites cuire à 200°C (400°F) pendant 30 minutes ou jusqu'à ce que le pain soit doré. Démoulez immédiatement et laissez refroidir sur des grilles.

Donne : 32 portions (16 tranches par pain).

Par portion : Environ 95 calories, 3 g protéine, 18 g glucide, 1 g matières grasses, 0 mg cholestérol, 148 mg sodium.

Variations *Suite à la page suivante.*

VARIATIONS

Pain à la cannelle

Préparez la pâte, divisez-la et aplatissez chaque moitié au rouleau en un rectangle, selon les instructions de la page 132. Mélangez 125 ml (½ tasse) de sucre et 10 ml (2 c. à thé) de cannelle dans un petit bol. Étalez 15 ml (1 c. à soupe) de margarine ou beurre ramolli sur chaque rectangle. Saupoudrez de la moitié du mélange de sucre. Terminez d'étaler au rouleau et de former les pains. Mettez dans des moules bien graissés de 21 x 12 x 6-cm (8½ x 4½ x 2½-pouces). Couvrez. Laissez lever dans un lieu chaud, à l'abri des courants d'air, environ 1 heure ou jusqu'à ce que le volume double. Si vous le voulez, vous pouvez étaler au pinceau du blanc d'œuf battu sur le dessus. Faites cuire au four à 190°C (375°F) pendant 40 à 45 minutes ou jusqu'à ce que le pain soit doré. Démoulez immédiatement et laissez refroidir sur des grilles.

Donne : 32 portions (16 tranches par pain).

Par portion : Environ 111 calories, 3 g protéine, 21 g glucide, 2 g matières grasses, 0 mg cholestérol, 152 mg sodium.

Variations Suite à la page suivante.

Pains mollets en soixante minutes

Passez à 3 sachets de levure et 50 ml (¼ tasse de sucre). Mélangez et pétrissez la pâte selon les instructions pour le pain blanc de base à la page 133. Placez-la dans un bol graissé, en la tournant pour en graisser le dessus. Couvrez et laissez lever dans un endroit chaud, à l'abri des courants d'air, environ 15 minutes. Mettez la pâte sur une surface légèrement saupoudrée de farine. Formez la pâte comme vous le souhaitez (reportez-vous aux suggestions suivantes). Couvrez. Laissez lever dans un four légèrement chaud (32°C [90°F]) environ 15 minutes. Faites cuire à 215°C (425°F) pendant 12 minutes ou jusqu'à ce que le pain soit doré. Démoulez immédiatement et laissez refroidir sur des grilles.

Ornements : Coupez la pâte en deux et étalez chaque moitié au rouleau en un rectangle de 30 x 22-cm (12 x 9-pouces). Coupez 12 bandes égales larges d'environ 2,5 cm (1 pouce). Roulez chaque bande bien serré pour former une spirale en rentrant les extrémités dessous. Placez-les sur des plaques à pâtisserie graissées en les espaçant de 5 cm (2 pouces).

Feuilles de trèfle : Coupez la pâte en 24 morceaux égaux. Formez chaque morceau en une boule et placez-la dans un moule à muffins graissé. Avec des ciseaux, coupez chaque boule en deux, puis en quatre.

Donne : 24 portions (1 pain mollet par portion).

Par portions : Environ 130 calories, 4 g protéine, 25 g glucide, 2 g matières grasses, 0 mg cholestérol, 198 mg sodium.

Pain de blé complet

75 ml (⅓ tasse) plus 15 ml (1 c. à soupe) de sucre brun
500 ml (2 tasses) d'eau chaude (40°C à 46°C [105°F à 115°F])
2 sachets de levure sèche active
1,25 à 1,5 litre (5-6 tasses) de farine de blé complet
175 ml (¾ tasse) de lait en poudre
10 ml (2 c. à thé) de sel
75 ml (⅓ tasse) d'huile

Dissolvez 15 ml (1 c. à soupe) de sucre brun dans l'eau chaude dans un petit bol. Ajoutez de la levure et laissez le mélange reposer.

Mettez 1 L (4 tasses) de farine, le lait en poudre, 75 ml (⅓ tasse) de sucre brun et le sel dans le bol du batteur. Fixez le bol et le crochet pétrisseur au batteur. Réglez à la vitesse 2 et mélangez pendant environ 15 secondes. Continuez à la vitesse 2, ajoutez progressivement le mélange de levure et l'huile au mélange de farine et mélangez pendant 1½ minute de plus. Arrêtez le batteur et raclez le bol, le cas échéant.

Continuez à la vitesse 2, ajoutez la farine restante, par 125 ml (½ tasse) et mélangez environ 2 minutes ou jusqu'à ce que la pâte colle au crochet et se décolle des parois du bol. Pétrissez à la vitesse 2 environ 2 minutes de plus.

Remarque : La pâte peut ne pas former de boule sur le crochet. Toutefois, tant que le crochet est en contact avec la pâte, le pétrissage se fait. N'ajoutez pas plus que la quantité maximale de farine spécifiée sinon le pain sera trop sec.

Placez la pâte dans un bol graissé, en la tournant pour en graisser le dessus. Couvrez. Laissez lever dans un lieu chaud, à l'abri des courants d'air, environ 1 heure ou jusqu'à ce qu'elle double de volume.

Enfoncez fermement le poing dans la pâte et coupez- la en deux. Formez chaque moitié en un pain, selon les instructions de la page 132. Placez dans un moule graissé de 21 x 12 x 6-cm (8½ x 4½ x 2½-pouces). Couvrez. Laissez lever dans un lieu chaud, à l'abri des courants d'air, environ 1 heure ou jusqu'à ce que la pâte ait doublé de volume.

Faites cuire au four à 200°C (400°F) pendant 15 minutes. Réduisez la température du four à 180°C (350°F) et faites cuire 30 minutes de plus. Démoulez immédiatement et laissez refroidir sur des grilles.

Donne : 32 portions (16 tranches par pain).

Par portions : Environ 112 calories, 4 g protéine, 19 g glucide, 3 g matières grasses, 2 mg cholestérol, 146 mg sodium.

Pain français

- 2 *sachets de levure sèche active*
- 625 *ml (2½ tasses) d'eau chaude (40°C à 46°C [105°F à 115°F])*
- 15 *ml (1 c. à soupe) de sel*
- 15 *ml (1 c. à soupe) de beurre ou margarine, fondu*
- 1,75 *L (7 tasses) de farine tout-usage*
- 10 *ml (2 c. à soupe) de semoule de maïs*
- 1 *blanc d'œuf*
- 15 *ml (1 c. à soupe) d'eau froide*

Dissolvez la levure dans l'eau chaude dans le bol de batteur réchauffé. Ajoutez le sel, le beurre et la farine. Fixez le bol et le crochet pétrisseur au batteur. Réglez à la vitesse 2 et mélangez 1 minute environ ou jusqu'à ce qu'un mélange homogène soit obtenu. Pétrissez à la vitesse 2 environ 2 minutes de plus. La pâte sera collante.

Placez la pâte dans un bol graissé, en la tournant pour en graisser le dessus. Couvrez. Laissez lever dans un lieu chaud, à l'abri des courants d'air, environ 1 heure ou jusqu'à ce qu'elle double de volume.

Enfoncez fermement le poing dans la pâte et coupez-la en deux. Étalez chaque moitié au rouleau en 1 rectangle de 30 x 37-cm (12 x 15-pouces). Roulez la pâte bien serrée, en partant du côté le plus long, en effilant les extrémités si vous le souhaitez. Placez les pains sur des plaques à pâtisserie graissées qui ont été saupoudrées de semoule de maïs. Couvrez. Laissez lever dans un lieu chaud, à l'abri des courants d'air, environ 1 heure ou jusqu'à ce que les pains doublent de volume.

Avec un couteau affûté, pratiquez 4 coupes diagonales sur le dessus de chaque pain. Faites cuire au four à 230°C (450°F) pendant 25 minutes. Sortez le plat du four. Battez le blanc d'oeuf et l'eau ensemble à la fourchette. Étalez le mélange d'œufs au pinceau sur chaque pain. Remettez dans le four et faites cuire 5 minutes de plus. Retirez immédiatement des plaques à pâtisserie et laissez complètement refroidir sur des grilles.

Donne : 30 portions (15 tranches par pain).

Par portion : Environ 114 calories, 3 g protéine, 23 g glucide, 1 g matières grasses, 0 mg cholestérol, 221 mg sodium.

Pain d'avoine au miel

375 ml (1½ tasse) d'eau
125 ml (½ tasse) de miel
75 ml (⅓ tasse) de beurre ou margarine
1,375 à 1,75 L (5½-6½ tasses) de farine tout usage
250 ml (1 tasse) de flocons d'avoine à cuisson rapide
10 ml (2 c. à thé) de sel
2 sachets de levure sèche active
2 oeufs
1 blanc d'œuf
15 ml (1 c. à soupe) d'eau
Farine d'avoine

Mettez l'eau, le miel et le beurre dans une petite casserole. Faites cuire à feu doux jusqu'à ce que le mélange soit très chaud (48°C à 54°C [120°F à 130°F]).

Mettez 1,25 L (5 tasses) de farine, d'avoine, de sel et de levure dans le bol du batteur. Fixez le bol et le crochet pétrisseur au batteur. Réglez à la vitesse 2 et mélangez pendant environ 15 secondes. Continuez à la vitesse 2, ajoutez progressivement le mélange chaud au mélange de farine et mélangez pendant 1 minute. Ajoutez les œufs et mélangez 1 minute de plus environ.

Continuez à la vitesse 2, ajoutez la farine restante, par 125 ml (½ tasse) et mélangez environ 2 minutes ou jusqu'à ce que la pâte colle au crochet et se décolle des parois du bol. Pétrissez à la vitesse 2 environ 2 minutes de plus.

Mettez la pâte dans un bol graissé, en la tournant pour en graisser le dessus. Couvrez. Laissez lever dans un lieu chaud, à l'abri des courants d'air, environ 1 heure ou jusqu'à ce qu'elle double de volume.

Enfoncez fermement le poing dans la pâte et coupez-la en deux. Formez chaque moitié en un pain, selon les instructions de la page 132. Placez dans des moules graissés de 21 x 12 x 6-cm (8½ x 4½ x 2½-pouces). Couvrez. Laissez lever dans un lieu chaud, à l'abri des courants d'air, environ 1 heure ou jusqu'à ce que la pâte ait doublé de volume.

Battez le blanc d'oeuf et l'eau ensemble à la fourchette. Étalez le mélange au pinceau sur chaque pain. Saupoudrez de flocons d'avoine. Faites cuire au four à 190°C (375°F) pendant 40 minutes. Démoulez immédiatement et laissez refroidir sur des grilles.

Donne : 32 portions (16 tranches par pain).

Par portion : Environ 134 calories, 4 g protéine, 24 g glucide, 3 g matières grasses, 13 mg cholestérol, 162 mg sodium.

Pain de seigle allégé

50 ml (¼ tasse) de miel
50 ml (¼ tasse) de mélasse allégée
10 ml (2 c. à thé) de sel
30 ml (2 c. à soupe) de beurre ou margarine
30 ml (2 c. à soupe) de graines de carvi
250 ml (1 tasse) d'eau bouillante
2 sachets de levure sèche active
175 ml (¾ tasse) d'eau chaude (40°C à 46°C [105°F à 115°F])
500 ml (2 tasses) de farine de seigle
875 ml à 1 litre (3½-4 tasses de farine tout-usage

Mettez le miel, la mélasse, le sel, le beurre, les graines de carvi et l'eau bouillante dans un petit bol. Mélangez jusqu'à ce que le miel se dissolve. Laissez tiédir.

Dissolvez la levure dans l'eau chaude dans le bol de batteur réchauffé. Ajoutez le mélange de miel tiède, la farine de seigle et 250 ml (1 tasse) de farine tout-usage. Fixez le bol et le crochet pétrisseur au batteur. Réglez à la vitesse 2 et mélangez 1 minute environ ou jusqu'à ce qu'un mélange homogène soit obtenu. Arrêtez le batteur et raclez le bol, si nécessaire.

Continuez à la vitesse 2, ajoutez la farine restante, par 125 ml (½ tasse) et mélangez 2 minutes environ ou jusqu'à ce que la pâte colle au crochet et se détache complètement des parois du bol. Pétrissez à la vitesse 2 environ 2 minutes de plus.

Mettez la pâte dans un bol graissé, en la tournant pour en graisser le dessus. Couvrez. Laissez lever dans un lieu chaud, à l'abri des courants d'air, environ 1 heure ou jusqu'à ce qu'elle double de volume.

Enfoncez fermement le poing dans la pâte et coupez-la en deux. Formez un pain rond avec chaque moitié. Placez sur deux plaques à pâtisserie graissées. Couvrez. Laissez lever dans un lieu chaud, à l'abri des courants d'air, 45 à 60 minutes ou jusqu'à ce que les pains doublent de volume.

Faites cuire au four à 180°C (350°F) pendant 30 à 45 minutes. Couvrez les pains de papier d'aluminium pendant les 15 dernières minutes si les dessus dorent trop vite. Retirez immédiatement des plaques à pâtisserie et laissez complètement refroidir sur des grilles.

Donne : 32 portions (16 tranches par pain).

Par portion : Environ 96 calories, 2 g protéine, 20 g glucide, 1 g matières grasses, 0 mg cholestérol, 143 mg sodium.

Pain à la farine de maïs et à l'aneth

- 2 *sachets de levure sèche active*
- 125 *ml (½ tasse) d'eau chaude (40°C à 46°C [105°F à 115°F])*
- 60 *ml (4 c. à soupe) de miel, divisées*
- 500 *ml (2 tasses) de cottage à gros grains*
- 30 *ml (2 c. à soupe) d'oignons frais râpés*
- 60 *ml (4 c. à soupe) de beurre ou margarine, ramolli*
- 45 *ml (3 c. à soupe) de graines d'aneth*
- 15 *ml (3 c. à thé) de sel*
- 2 *ml (½ c. à thé) de bicarbonate de sodium*
- 2 *oeufs*
- 250 *ml (1 tasse) de farine de blé complet*
- 750 à 875 *ml (3-3½ tasses) de farine tout-usage*

Dissolvez la levure dans l'eau chaude dans le bol de batteur réchauffé. Ajoutez 15 ml (1 c. à soupe) de miel et laissez reposer 5 minutes.

Ajoutez le cottage, les 45 ml restants (3 c. à soupe) de miel, les oignons, le beurre, les graines d'aneth, le sel et le bicarbonate de sodium. Fixez le bol et le fouet à lame plate au batteur. Réglez à la vitesse d'agitation et mélangez 30 secondes. Ajoutez les œufs. Continuez à la vitesse d'agitation , mélangez pendant environ 15 secondes.

Ajoutez la farine de blé complet et 500 ml (2 tasses) de farine tout-usage. Réglez à la vitesse 2 et mélangez 2 secondes environ ou jusqu'à ce qu'un mélange homogène soit obtenu. Continuez à la vitesse 2, ajoutez le restant de farine, par petites quantités, et mélangez jusqu'à ce que la pâte soit bien ferme. Arrêtez le batteur et raclez le bol, si nécessaire. Continuez à la vitesse 2, mélangez pendant environ 2 minutes de plus.

Couvrez. Laissez lever dans un lieu chaud, à l'abri des courants d'air, environ 1 heure ou jusqu'à ce qu'elle double de volume.

Enfoncez fermement le poing dans la pâte. Mettez dans deux moules bien graissés de 21 x 12 x 6-cm (8½ x 4½ x 2½-pouces) ou dans deux cocottes bien graissées de 1,4 à 1,8 L (1½ à 2 pintes). Couvrez. Laissez lever dans un lieu chaud, à l'abri des courants d'ait, environ 45 minutes ou jusqu'à ce que le volume double.

Faites cuire au four à 180°C (350°F) pendant 40 à 50 minutes. Démoulez immédiatement et laissez refroidir sur des grilles.

Donne : 32 portions (16 tranches par pain).

Par portion : Environ 98 calories, 4 g protéine, 15 g glucide, 3 g matières grasses, 15 mg cholestérol, 298 mg sodium.

Pain au fromage et aux légumes

2 sachets de levure sèche active
250 ml (1 tasse) d'eau chaude (40°C à 46°C [105°F à 115°F])
500 ml (2 tasses) de farine de blé complet
750 à 875 ml (3-3½ tasses) de farine tout-usage
30 ml (2 c. à soupe) de sucre
10 ml (2 c. à thé) de sel
30 ml (2 c. à soupe) de beurre ou margarine
250 ml (1 tasse) de lait chaud à faible teneur en matières grasses (105°F à 115°F [40°C à 46°C])
50 ml (¼ tasse) de tomates séchées au soleil hachées
10 ml (2 c. à thé) d'oignon haché déshydraté
10 ml (2 c. à thé) de feuilles de persil séchées
125 ml (½ tasse) de fromage Cheddar piquant râpé

Dissolvez la levure dans l'eau chaude, dans un petit bol. Mettez de côté.

Combinez la farine de blé complet, 500 ml (2 tasses) de farine tout-usage, le sucre et le sel dans le bol du batteur. Fixez le bol et le crochet pétrisseur au batteur. Réglez à la vitesse 2 et mélangez pendant environ 30 secondes. Continuez à la vitesse 2, ajoutez progressivement le mélange de levure, le beurre et le lait chaud au mélange de farine et mélangez pendant environ 1½ minute. Arrêtez le batteur et raclez le bol Ajoutez les tomates, l'oignon, le persil et le fromage Réglez à la vitesse 2 et mélangez pendant environ 30 secondes. Continuez à la vitesse 2, ajoutez la farine restante, par 125 ml (½ tasse) et mélangez 2 minutes environ ou jusqu'à ce que la pâte colle au crochet et se détache complètement des parois du bol. Pétrissez à la vitesse 2 environ 2 minutes de plus.

Mettez la pâte dans un bol graissé, en la tournant pour en graisser le dessus. Couvrez. Laissez lever dans un lieu chaud, à l'abri des courants d'air, environ 1 heure ou jusqu'à ce qu'elle double de volume.

Enfoncez fermement le poing dans la pâte et coupez-la en deux. Formez chaque moitié en un pain, selon les instructions de la page 132 et placez chacun dans un moule graissé de 21 x 12 x 6-cm (8½ x 4½ x 2½-pouces). Couvrez. Laissez lever dans un lieu chaud, à l'abri des courants d'air, 45 à 60 minutes ou jusqu'à ce que la pâte ait doublé de volume.

Faites cuire au four à 190°C (375°F) pendant 40 minutes. Démoulez immédiatement et laissez refroidir sur une grille.
(**Remarque :** Il peut s'avérer nécessaire de passer un couteau le long des bords des moules pour dégager les pains.)

Donne : 32 portions (16 tranches par pain).

Par portion : Environ 99 calories, 3 g protéine, 18 g glucide, 2 g matières grasses, 2 mg cholestérol, 160 mg sodium.

Pain à l'avoine et aux bleuets

- *500 ml (2 tasses) de farine tout-usage*
- *250 ml (1 tasse) flocons d'avoine*
- *250 ml (1 tasse) de sucre*
- *7 ml (1½ c. à thé) de levure chimique*
- *2 ml (½ c. à thé) de levure chimique*
- *1 ml (¼ c. à thé) de sel*
- *1 ml (¼ c. à thé) de piment de la Jamaïque*
- *175 ml (¾ tasse) de lait à basse teneur en matières grasses*
- *125 ml (½ tasse) de beurre ou margarine, fondu*
- *15 ml (1 c. à soupe) de zeste d'orange râpé*
- *2 oeufs*
- *300 ml (1¼ tasse) de bleuets frais ou surgelés (pas décongelés)*

Combinez les ingrédients secs dans le bol du batteur. Ajoutez le lait, le beurre, le zeste d'orange et les oeufs. Fixez le bol et le fouet à lame plate au batteur. Réglez à la vitesse d'agitation et mélangez environ 30 secondes. Brassez délicatement les bleuets à la cuillère.

Versez à la cuillère la préparation dans un moule de 23 x 13 x 7,5-cm (9 x 5 x 3-pouces) qui a été graissé sur le fond uniquement. Faites cuire au four à 180°C (350°F) pendant 55 à 65 minutes ou jusqu'à ce qu'un cure-dent inséré au centre en sorte propre. Laissez refroidir dans le moule pendant 10 minutes. Démoulez et laissez complètement refroidir sur une grille

Donne : 16 portions (16 tranches par pain).

Par portion : Environ 196 calories, 3 g protéine, 31 g glucide, 7 g matières grasses, 27 mg cholestérol, 177 mg sodium.

Pâte sucrée de base

- *175 ml (¾ tasse) de lait à basse teneur en matières grasses*
- *125 ml (½ tasse) de sucre*
- *6 ml (1¼ c. à thé) de sel*
- *125 ml (½ tasse) de beurre ou margarine*
- *2 sachets de levure sèche active*
- *75 ml (⅓ tasse) d'eau chaude (105°F à 115°F [40°C à 46°C])*
- *3 œufs à température ambiante.*
- *1,375 à 1,625 litre (5½-6½ tasses) de farine tout-usage*

Mettez le lait, le sucre, le sel et le beurre dans une petite casserole. Chauffez à feu doux jusqu'à ce que le beurre fonde et que le sucre se dissolve. Laissez tiédir.

Dissolvez la levure dans l'eau chaude dans le bol de batteur réchauffé. Ajoutez le mélange de lait tiède, les œufs et 5 tasses (1,25 L) de farine. Fixez le bol et le crochet à pâte au batteur. Réglez à la vitesse 2 et mélangez pendant environ 2 minutes.

Continuez à la vitesse 2, ajoutez la farine restante, par demi-tasse (125 ml) et mélangez 2 minutes environ ou jusqu'à ce que la pâte colle au crochet et se détache complètement des parois du bol. Pétrissez à la vitesse 2 environ 2 minutes de plus.

Mettez la pâte dans un bol graissé, en la tournant pour en graisser le dessus. Couvrez. Laissez lever dans un lieu chaud, à l'abri des courants d'air, environ 1 heure, ou jusqu'à ce qu'elle double de volume.

Aplatissez la pâte et formez des pains mollets ou des gâteaux danois.

Petits pains à la cannelle

250 ml (1 tasse) de sucre brun bien tassé
250 ml (1 tasse) de sucre
125 ml (½ tasse) de beurre ou margarine, ramolli
50 ml (¼ tasse) de farine tout-usage
22,5 ml (1½ c. à soupe) de cannelle
125 ml (½ tasse) de noix ou de noix de pacane hachés
1 recette de la pâte sucrée de base (voir page 142)

Mettez le sucre brun, le sucre, le beurre, la farine, la cannelle et les noix dans le bol du batteur. Fixez le bol et le fouet à lame plate au batteur. Réglez à la vitesse 2 et mélangez environ 1 minute.

Tournez la pâte sur une surface légèrement saupoudrée de farine. Étalez la pâte au rouleau en un rectangle de 25 x 60-cm (10 x 24-pouces). Étalez uniformément sur la pâte un mélange de sucre et cannelle. Roulez la pâte bien serrée depuis le côté long pour former un rouleau de 60-cm (24-pouces), en pinçant les joints ensemble. Coupez en 24 tranches de 2,5-cm (1-pouce).

Placez 12 pains dans chacun de deux moules graissés de 33 x 23 x 5-cm (13 x 9 x 2-pouces). Couvrez. Laissez lever dans un lieu chaud, à l'abri des courants d'air, 45 à 60 minutes ou jusqu'à ce que le volume double.

Faites cuire au four à 180°C (350°F) pendant 20 à 25 minutes Démoulez immédiatement. Versez à la cuillère le **fondant au caramel** sur les pains chauds.

Fondant au caramel

75 ml (⅓ tasse) de lait concentré
25 ml (2 c. à soupe) de sucre brun
375 ml (1½ tasse) de sucre en poudre
5 ml (1 c. à thé) de vanille

Mettez le lait concentré et le sucre brun dans une petite casserole. Faites cuire à feu moyen jusqu'à ce le mélange commence à bouillir en brassant constamment.

Placez le mélange de lait, le sucre en poudre et la vanille dans le bol du batteur. Fixez le bol et le fouet à lame plate au batteur. Réglez à la vitesse 4 et battez 2 minutes environ ou jusqu'à ce qu'un mélange crémeux soit obtenu.

Donne: 24 portions (1 pain mollet par portion)

Par portion : Environ 338 calories, 6 g protéine, 57 g glucide, 10 g matières grasses, 28 mg cholestérol, 219 mg sodium.

Pain blanc levant à basse température à mélange rapide

1,5 à 1,75 litre (6-7 tasses) de farine tout-usage
30 ml (2 c. à soupe) de sucre
17 ml (3½ c. à thé) de sel
3 sachets de levure sèche active
50 ml (¼ tasse) de beurre ou margarine, ramolli
500 ml (2 tasses) d'eau très chaude (48°C à 54°C [120°F à 130°F])

Mettez 1,375 l (5½ tasses) de farine, le sucre, le sel, la levure et le beurre dans le bol du batteur. Fixez le bol et le crochet pétrisseur au batteur. Réglez à la vitesse 2 et mélangez pendant environ 20 secondes. Ajoutez progressivement l'eau chaude et mélangez 1½ minute de plus environ.

Continuez à la vitesse 2, ajoutez la farine restante, 500 ml (2 tasses) à la fois, et mélangez 2 minutes environ ou jusqu'à ce que la pâte colle au crochet et se détache complètement des parois du bol. Pétrissez à la vitesse 2 environ 2 minutes de plus.

Couvrez la pâte de film étirable et d'une serviette. Laissez reposer 20 minutes.

Coupez la pâte en deux. Formez chaque moitié en un pain, selon les instructions de la page 132. Placez dans des moules graissés de 21 x 12 x 6-cm (8½ x 4½ x 2½-pouces). Étalez au pinceau de l'huile sur chaque pain et couvrez lâchement avec une pellicule plastique. Réfrigérez 2 à 12 heures.

Juste avant la cuisson, découvrez soigneusement la pâte. Laissez reposer à température ambiante pendant 10 minutes. Crevez les bulles d'air qui ont pu se former.

Faites cuire au four à 200°C (400°F) pendant 35 à 40 minutes. Démoulez immédiatement et laissez refroidir sur des grilles.

Donne : 32 portions (16 tranches par pain).

Par portion : Environ 110 calories, 3 g protéine, 21 g glucide, 2 g matières grasses, 0 mg cholestérol, 251 mg sodium.

Pâte à pizza croustillante

- *1 sachets de levure sèche active*
- *250 ml (1 tasse) d'eau chaude (40°C à 46°C [105°F à 115°F])*
- *2 ml (½ c. à thé) de sel*
- *10 ml (2 c. à thé) d'huile d'olive*
- *625 à 875 ml (2½-3½ tasses) de farine tout-usage*
- *15 ml (1 c. à soupe) de semoule de mais*

Dissolvez la levure dans l'eau chaude dans le bol de batteur réchauffé. Ajoutez le sel, l'huile d'olive et 625 ml (2½ tasses) de farine. Fixez le bol et le crochet pétrisseur au batteur. Réglez à la vitesse 2 et mélangez environ 1 minute.

Continuez à la vitesse 2, ajoutez la farine restante, par 125 ml (½ tasse) et mélangez 2 minutes environ ou jusqu'à ce que la pâte colle au crochet et se détache complètement des parois du bol. Pétrissez à la vitesse 2 environ 2 minutes de plus.

Mettez la pâte dans un bol graissé, en la tournant pour en graisser le dessus. Couvrez. Laissez lever dans un lieu chaud, à l'abri des courants d'air, environ 1 heure ou jusqu'à ce qu'elle double de volume. Enfoncez fermement le poing dans la pâte.

Étalez au pinceau de l'huile dans un moule à pizza de 35-cm (14-pouces). Saupoudrez de semoule de maïs. Enfoncez la pâte dans le fond du moule, en formant un col autour du bord pour retenir les garnitures. Ajoutez des garnitures si vous le souhaitez. Faites cuire au four à 230°C (450°F) pendant 15 à 20 minutes.

Donne : 4 portions (¼ pizza par portion).

Par portion : Environ 373 calories, 11 g protéine, 74 g glucide, 3 g matières grasses, 0 mg cholestérol, 271 mg sodium.

Pain à la banane et aux noix

75 ml (⅓ tasse) de shortening
125 ml (½ tasse) de sucre
2 oeufs
425 ml (1¾ tasse) de farine tout-usage
5 ml (1 c. à thé) de levure chimique
2 ml (½ c. à thé) de bicarbonate de sodium
2 ml (½ c. à thé) de sel
250 ml (1 tasse) (2 moyennes) bananes mûres écrasées
125 ml (½ tasse) de noix ou de noix de pacane hachés

Placez le beurre et le sucre dans le bol du batteur. Fixez le bol et le fouet à lame plate au batteur. Réglez à la vitesse 6 et battez pendant environ 1 minute. Arrêtez le batteur et raclez le bol. Continuez à la vitesse 6, mélangez pendant environ 1 minute de plus. Ajoutez les œufs. Réglez à la vitesse 4 et battez pendant environ 30 secondes. Arrêtez le batteur et raclez le bol. Réglez à la vitesse 6 et battez pendant environ 1½ minute.

Combinez la farine, la levure chimique, le bicarbonate de sodium et le sel dans un autre bol. Ajoutez la moitié du mélange de farine et la moitié des bananes écrasées dans le bol du batteur. Réglez à la vitesse d'agitation et mélangez environ 30 secondes. Ajoutez la banane et la farine restante. Continuez à la vitesse d'agitation, mélangez pendant environ 30 secondes. Arrêtez le batteur et raclez le bol. Ajoutez les noix. Continuez à la vitesse d'agitation, mélangez pendant environ 15 secondes.

Versez le mélange dans un moule graissé et saupoudré de farine de 23 x 13 x 7,5-cm (9 x 5 x 3-pouces). Faites cuire au four à 180°C (350°F) pendant 40 à 45 minutes. Laissez refroidir dans le moule pendant 5 minutes. Démoulez et laissez complètement refroidir sur une grille.

Donne : 16 portions (16 tranches).

Par portion : Environ 157 calories, 3 g protéine, 21 g glucide, 7 g matières grasses, 27 mg cholestérol, 131 mg sodium.

Biscuits à la levure chimique

- 500 *ml (2 tasses) de farine tout-usage*
- 20 *ml (4 c. à thé) de levure chimique*
- 2 *ml (½ c. à thé) de sel*
- ⅓ 75 *ml (⅓ tasse) de shortening*
- 150 *ml (⅔ tasse) de lait à basse teneur en matières grasses*
- *Margarine ou beurre fondu, si vous le souhaitez*

Mettez la farine, la levure chimique, le sel et le shortening dans le bol du batteur. Fixez le bol et le fouet à lame plate au batteur. Réglez à la vitesse d'agitation et mélangez 1 minute. Arrêtez le batteur et raclez le bol. Ajoutez le lait. Continuez à la vitesse d'agitation, mélangez jusqu'à ce que la pâte commence à coller au fouet. Évitez de trop battre.

Tournez la pâte sur une surface légèrement saupoudrée de farine et pétrissez 20 secondes environ ou jusqu'à ce que la pâte soit lisse. Étalez la pâte au rouleau ou tapez la pour en réduire l'épaisseur à 1 cm (½-pouce). Coupez avec l'emporte-pièce saupoudré de farine de 5 cm (2-pouces).

Placez-les sur des plaques à pâtisserie graissées et étalez dessus du beurre fondu, au pinceau, si vous le souhaitez. Faites cuire au four à 230°C (450°F) pendant 12 à 15 minutes. Servez immédiatement.

Donne : 12 portions (1 biscuit par portion).

Par portion : Environ 135 calories, 3 g protéine, 17 g glucide, 6 g matières grasses, 1 mg cholestérol, 183 mg sodium.

Muffins au son

250 ml (1 tasse) d'eau bouillante
250 mL (1 tasse) de son de blé
250 ml (1 tasse) de sucre brun bien tassé
125 ml (½ tasse) de sucre
125 ml (½ tasse) de shortening
2 oeufs
500 ml (2 tasses) de babeurre
5 ml (1 c. à thé) de vanille
625 ml (2½ tasses) de farine tout-usage
12 ml (2½ c. à thé) de bicarbonate de sodium
5 ml (1 c. à thé) de levure chimique
2 ml (½ c. à thé) de sel
500 ml (2 tasses) de flocons de son

Versez l'eau bouillante sur le son dans un bol moyen. Mettez de côté.

Mettez le sucre brun, le sucre et le shortening dans le bol du batteur. Fixez le bol et le fouet à lame plate au batteur. Réglez à la vitesse 4 et battez pendant environ 1 minute. Ajoutez les œufs. Réglez à la vitesse 4 et battez pendant environ 30 secondes. Ajoutez le babeurre et la vanille. Réglez à la vitesse d'agitation et mélangez environ 30 secondes. Arrêtez le batteur et raclez le bol.

Ajoutez la farine, le bicarbonate de sodium, la levure chimique et le sel. Continuez à la vitesse d'agitation, mélangez pendant environ 30 secondes. Arrêtez le batteur et raclez le bol. Continuez à la vitesse d'agitation, mélangez pendant environ 30 secondes de plus. Réglez progressivement à la vitesse 4 et battez pendant environ 1 minute. Ajoutez le son humidifié et les flocons de son. Réglez à la vitesse d'agitation et mélangez 30 secondes environ ou jusqu'à ce que tous les ingrédients soient combinés.

Introduisez la préparation à la willère dans des moules à muffins garnis de papier ou graissés. Faites cuire au four à 200°C (400°F) pendant 20 minutes ou jusqu'à ce qu'un cure-dent inséré au centre en sorte propre. Démoulez immédiatement. Servez chaud.

Donne : 24 portions (1 muffin par portion).

Par portion : Environ 170 calories, 3 g protéine, 29 g glucide, 5 g matières grasses, 19 mg cholestérol, 242 mg sodium.

Conseil : La préparation peut être réfrigérée pendant 1 semaine dans un récipient bien fermé.

Gâteau au café et à la crème sure

125 ml (½ tasse) de sucre brun bien tassé
7 mL (1½ c. à thé) de cannelle
250 ml (1 tasse) de noix ou de noix de pacane finement hachées
750 ml (3 tasses) de farine tout-usage
375 mL(1½tasses) de sucre granulé
15 ml (3 c. à thé) de levure chimique
1 5 ml (1 c. à thé) de bicarbonate de sodium
2 ml (½ c. à thé) de sel
250 ml (1 tasse) de beurre ou margarine, ramolli
250 ml (1 tasse) de crème sure allégée
5 ml (1 c. à thé) de vanille
3 oeufs

Combinez le sucre brun, la cannelle et les noix dans un petit bol. Mettez de côté.

Combinez la farine, le sucre granulé, la levure chimique, le bicarbonate de sodium, et le sel dans le bol du batteur. Ajoutez le beurre, la crème sure, et la vanille. Fixez le bol et le fouet à lame plate au batteur. Réglez à la vitesse 2 et mélangez 45 secondes environ ou jusqu'à ce qu'une préparation homogène soit obtenue. Arrêtez le batteur et raclez le bol. Réglez à la vitesse 4 et battez environ 1½ minutes. Arrêtez le batteur et raclez le bol.

Réglez à la vitesse d'agitation en ajoutant un oeuf à la fois et mélangez environ 15 secondes après chaque ajout. Réglez à la vitesse 2 et mélangez environ 30 secondes.

Versez la moitié de la préparation dans un moule graissé et saupoudré de farine de 33 x 23 x 5-cm (13 x 9 x 2-pouces) ou un moule à cheminée 25-cm (10-ouces). Saupoudrez de la moitié de la préparation de sucre et de cannelle. Étalez le restant de pâte dans la casserole et rajoutez le reste du mélange de sucre et de cannelle. Faites cuire à 180°C (350°F) pendant 40 à 50 minutes pour un moule de 33 x 23 x 5-cm (13 x 9 x 2-pouces) ou 50 à 60 minutes pour un moule à cheminée de 25-cm (10-pouces). Servez chaud.

Donne : 16 portions.

Par portion : Environ 362 cal, 6 g protéine, 47 g glucide, 17 g matières grasses, 44 mg cholestérol, 349 mg sodium.

Kuchen aux pommes et au caramel

- 1 *recette de la pâte sucrée de base (voir page 142)*
- 500 *ml (2 tasses) de sucre brun bien tassé*
- 90 *ml (6 c. à soupe) de farine tout-usage*
- 10 *ml (2 c. à thé) de cannelle*
- 90 *ml (6 c. à soupe) de beurre ou margarine, ramolli*
- 6-8 *pommes (2 L [8 tasses]), épluchées et finement tranchées*

Coupez la pâte en deux. Enfoncez chaque moitié dans un moule graissé de 33 x 23 x 5-cm (13 x 9 x 2-pouces). Faites doucement remonter les bords de 1 cm (½ pouce) sur les parois.

Couvrez. Laissez lever dans un lieu chaud, à l'abri des courants d'air, 45 à 60 minutes ou jusqu'à ce que la pâte double de volume.

Pendant ce temps, mettez le sucre roux, la farine, la cannelle et le beurre dans le bol du batteur. Fixez le bol et le fouet à lame plate au batteur. Réglez à la vitesse 2 et mélangez environ 1 minute.

Disposez les tranches de pomme sur la pâte dans chacun des deux moules. Saupoudrez uniformément la moitié du mélange de sucre brun. Faites cuire au four à 180°C (350°F) pendant 35 à 45 minutes ou jusqu'à ce que le gâteau soit doré et que les pommes soient tendres. Servez chaud.

Donne : 24 portions (12 morceaux par kuchen).

Par portion : Environ 301 calories, 5 g protéine, 54 g glucide, 8 g matières grasses, 27 mg cholestérol, 207 mg sodium.

Crêpes

375 mL (1½ tasses) de farine tout-usage
10 ml (2 c. à thé) de levure chimique
5 ml (1 c. à thé) de sucre
2 ml (½ c. à thé) de sel
125 ml (½ tasse) de substitut d'oeufs sans matières grasses ou 2 oeufs
300 ml (1¼ tasses) de lait à basse teneur en matières grasses
45 ml (3 c. à soupe) de shortening, fondu

Combinez la farine, la levure chimique, le sucre et le sel dans le bol du batteur. Ajouter tous les ingrédients restants. Fixez le bol et le fouet à lame plate au batteur. Réglez à la vitesse 4 et mélangez 30 secondes environ ou jusqu'à ce que tous les ingrédients soient combinés. Arrêtez le batteur et raclez le bol. Continuez à la vitesse 4, mélangez environ 15 secondes ou jusqu'à ce qu'un mélange lisse soit obtenu.

Pulvérisez le gaufrier ou la poêle à frire d'un aérosol de cuisine antiadhésif. Faites chauffer le gaufrier jusqu'à medium-élevé. Versez environ 75 ml (⅓ tasse) de préparation dans le gaufrier pour chaque gaufre. Faites cuire 1 à 2 minutes, ou jusqu'à ce que des bulles se forment à la surface et que les bordures deviennent sèches. Retournez-les et faites-les cuire environ 1 à 2 minutes de plus, ou jusqu'à ce que la gaufre soit dorée.

Donne : 4 portions (2 gaufres par portion).

Par portion : Environ 318 calories, 11 g protéine, 41 g glucide, 11 g matières grasses, 6 mg cholestérol, 490 mg sodium.

Gaufres croustillantes

500 ml (2 tasses) de farine tout-usage
15 ml (3 c. à thé) de levure chimique
30 ml (2 c. à soupe) de sucre
2 ml (½ c. à thé) de sel
2 œufs, séparés en blancs et jaunes
300 ml (1¼ tasse) de lait à basse teneur en matières grasses
50 ml (¼ tasse) de beurre ou margarine, fondu

Combinez la farine, le sucre, la levure chimique et le sel dans le bol du batteur. Ajoutez les jaunes d'œufs, le lait et le beurre. Fixez le bol et le fouet à lame plate au batteur. Réglez à la vitesse 4 et mélangez 30 secondes environ ou jusqu'à ce que tous les ingrédients soient combinés. Arrêtez le batteur et raclez le bol. Continuez à la vitesse 4, mélangez environ 15 secondes ou jusqu'à ce qu'un mélange lisse soit obtenu. Versez le mélange dans un autre bol. Nettoyez le bol du batteur.

Mettez les blancs d'œufs dans le bol du batteur. Fixez le bol et le fouet fin au batteur. Réglez à la vitesse 8 et fouettez jusqu'à ce que les blancs soient montés en neige ferme mais pas sèche. Incorporez délicatement les blancs d'œuf dans le mélange de farine.

Pulvérisez le gaufrier d'un aérosol de cuisine antiadhésif. Faites chauffer le gaufrier. Versez environ 75 ml (⅓ tasse) de préparation dans le gaufrier pour chaque gaufre. Faites cuire 3 à 5 minutes ou jusqu'à ce que la gaufre soit dorée.

Donne : 6 portions (1 gaufre par portion).

Par portion : Environ 287 calories, 8 g protéine, 39 g glucide, 10 g matières grasses, 75 mg cholestérol, 441 mg sodium.

Ensemble d'accessoires multifonctionnels

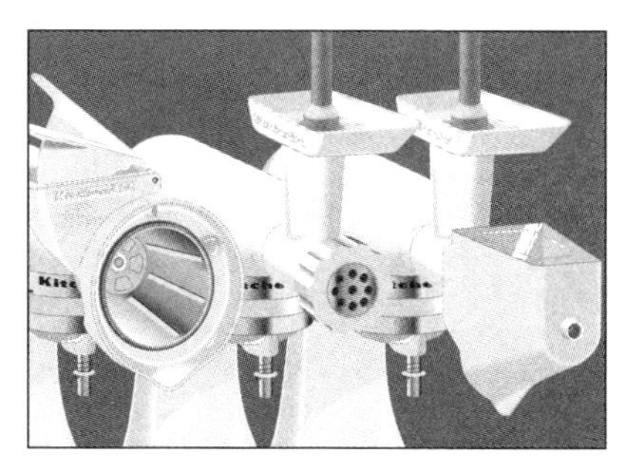

Modèle 4FPPA
Trois accessoires KitchenAid® populaires ont été emballés dans une caisse. Ce paquet inclut le bloc-râpeur (4RVSA), le hachoir (4FGA), et la presse-fruits/presse-légumes (4FVSP).

Hachoir

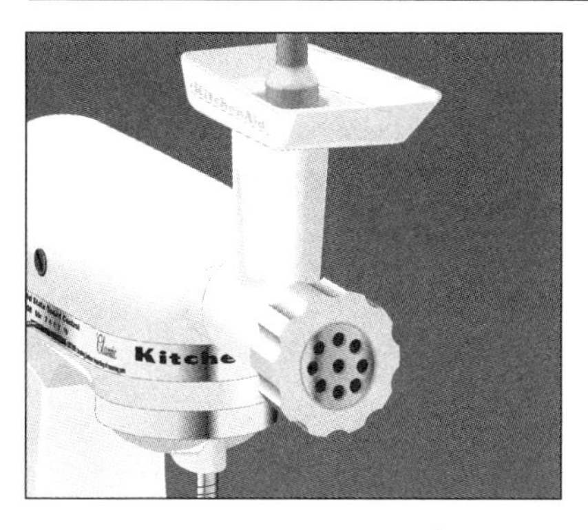

Modèle 4FGA
Permet de broyer la viande, les légumes et fruits fermes et le pain sec.

Presse-fruits/presse-légumes

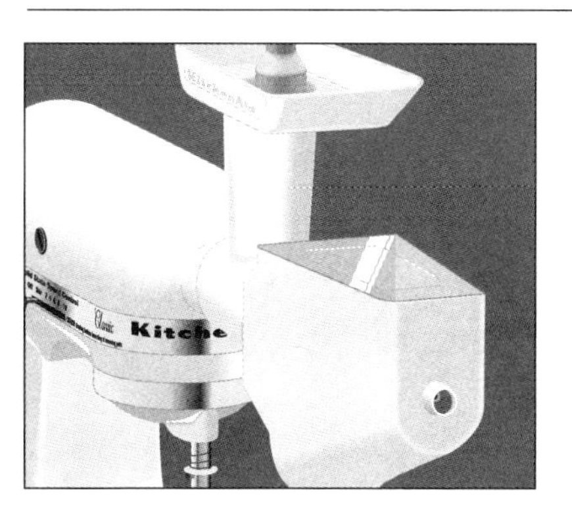

Modèle 4FVSFGA
Facilite et permet d'accélérer la préparation de confitures, purées, sauces et aliments pour bébé.

Plateau à aliments

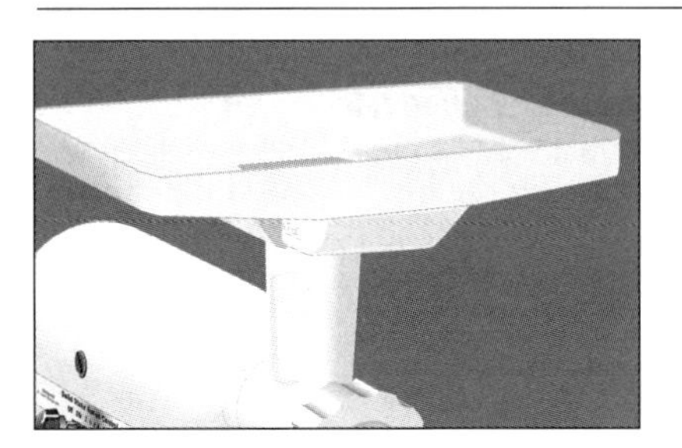

Modèle 4FT
Peut contenir de grandes quantités d'aliments pour faciliter et accélérer le jutage, la préparation de purée et le broyage. Pour utiliser avec 4FGA.

Poussoir à saucisses

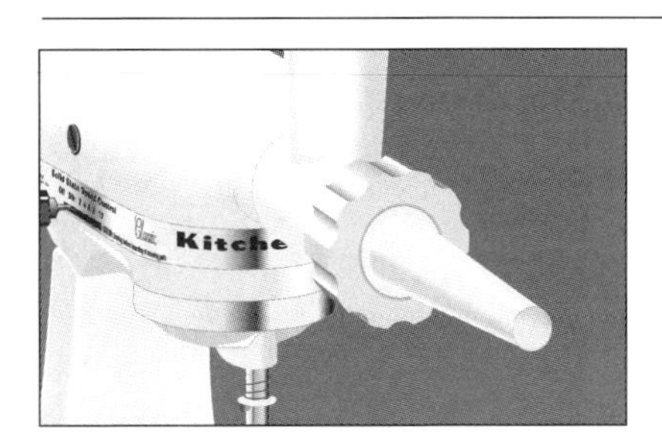

Modèle 4SSA
Les tubes de remplissage de 10 et 16 mm (3/8" et 5/8") permettent de faire des saucisses Bratwurst, Kielbasa, Italiennes ou polonaises et des saucisses de petit déjeuner. Pour utiliser avec 4FGA.

La râpe

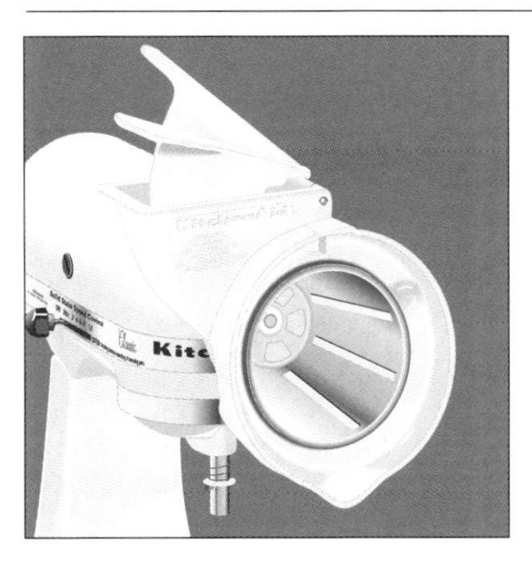

Modèle 4RVSA
Compte 4 cônes : Pour des tranches fines et épaisses et un déchiquetage fin et grossier.

Moulin à grains

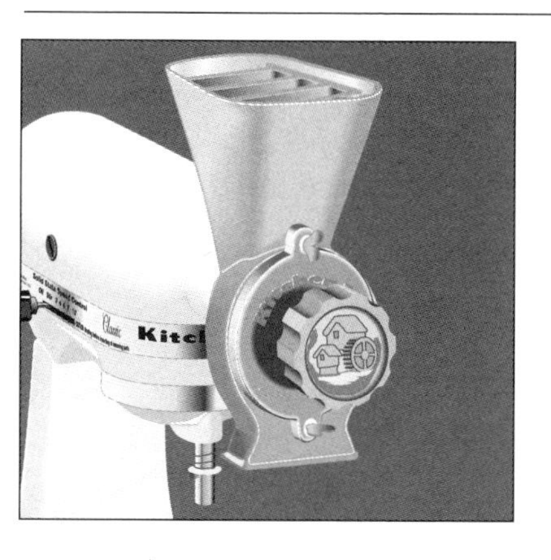

Modèle 4GMA
Broie les grains à faible teneur en humidité d'une texture très fine à très grossière.

Ouvre-boîtes

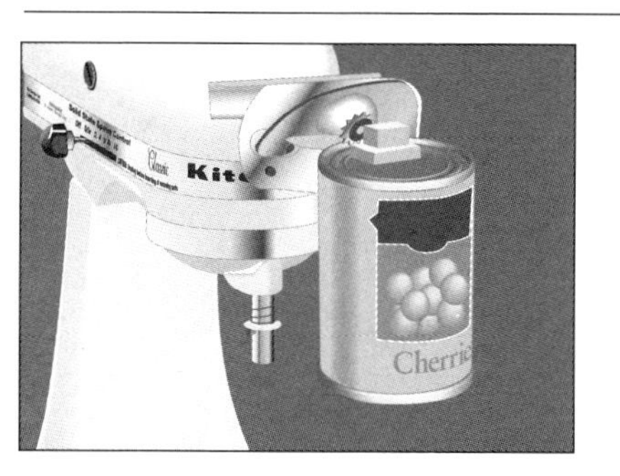

Modèle 4CO
Permet d'ouvrir rapidement les boîtes, laisse les bords lisses et sans dent de scie.

Rouleaux à pâtes

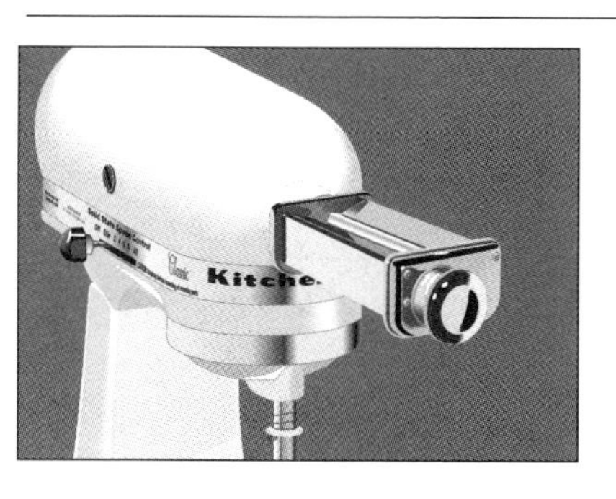

Modèle 4KPRA
Permet de faire des lasagnes, des fettuccini et linguine fini. Le jeu de 3 pièces comporte le cylindre, le couteau à fettuccine et celui à Linguine Fini.

Presse-agrumes

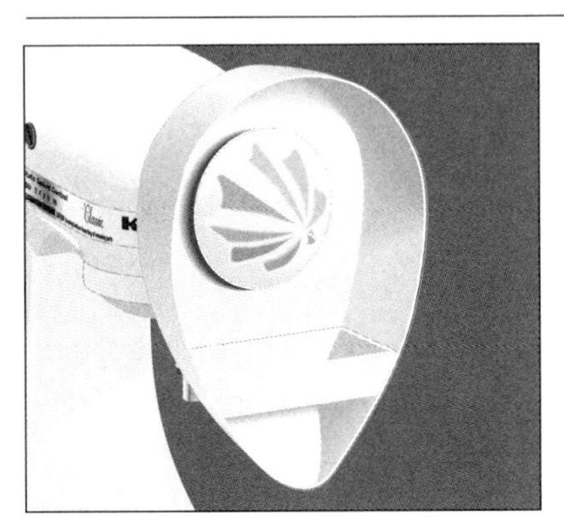

Modèle 4JE
Presse rapidement et complètement les agrumes en filtrant la pulpe.

Machine pour pâtes

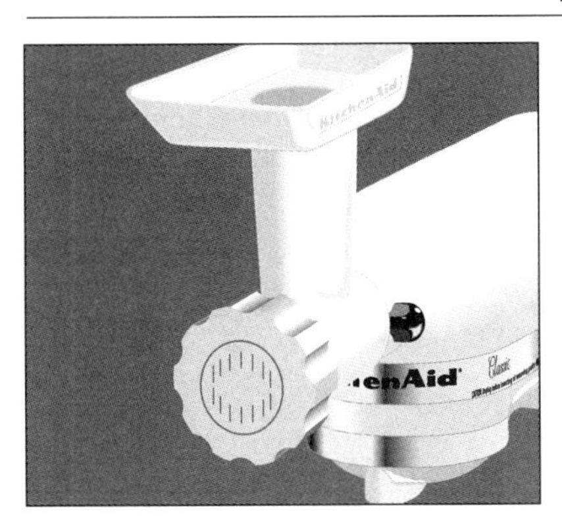

Modèle 4SNFGA
5 plaques permettent de faire des lasagnes des macaronis, des nouilles plates et des spaghetti fins et épais. Se vend avec 4FGA.

Chemise d'eau

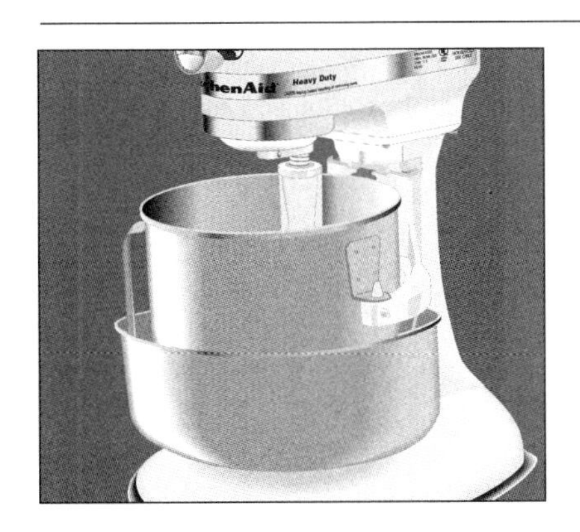

Modèle 4K5AWJ
Remplir la chemise de glace ou d'eau foid ou bouillante pour aider à maintenir la température des ingrédients durant la préparation.

Écran verseur

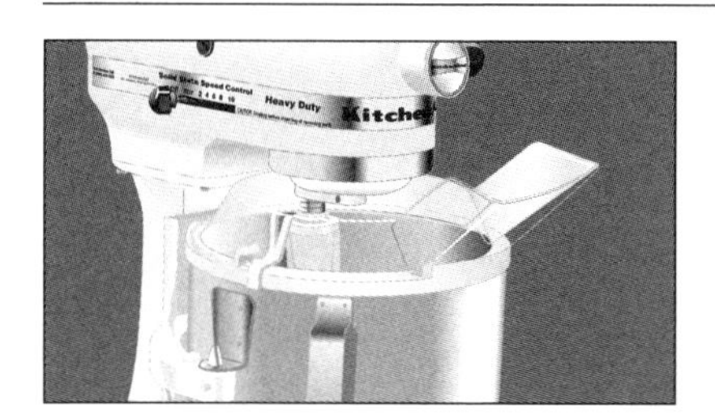

Modèle 4KPS2CL
Permet de minimiser les éclaboussures lors de l'ajout d'ingrédients.

Couvercle verseur

Modèle 4KBC90N
(Pour batteur de 4,5 pintes (4,26 L)

Modèle 4KBC5N
(Pour batteur de 5 pintes (4,73 L)
2 couvercles de bol de batteur non-hermétiques lavables sécuritairement dans le panier supérieur du lave-vaisselle).

Couvercles du batteur

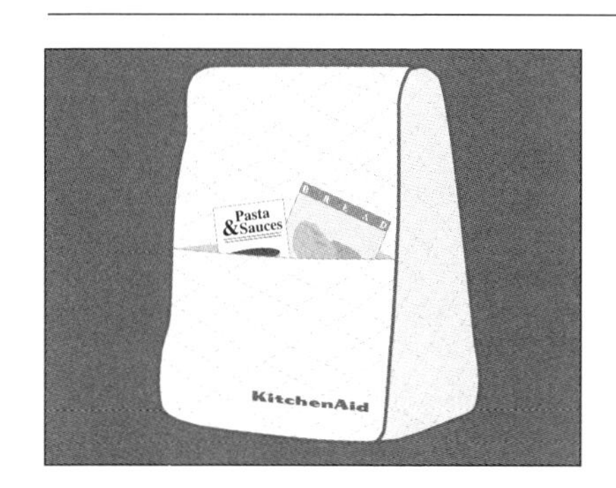

Modèle 4K45CR
(Pour batteur de 4,5 pintes (4,26 L)

Modèle 4K5CR
(Pour batteur de 5 pintes (4,73 L)
Afin de protéger le batteur lorsque inutilisé. Fait d'un mélange de coton et polyester. Lavable.